KB195936

선거

김효태의 노원(병) 재보선 보고서

기획과 실행

새로운사람들은 항상 새롭습니다.
독자의 눈과 가슴으로 생각하여 한 발 먼저 준비합니다.
첫 만남의 가슴 떨림으로 여러분을 찾아가겠습니다.

선거

기획과 실행

김효태의 노원(병) 재보선 보고서

초판1쇄 인쇄 2013년 6월 21일
초판1쇄 발행 2013년 6월 26일

지은이 김효태
펴낸이 이재욱
펴낸곳 ㈜새로운사람들

디자인 이즈플러스(최은선)
마케팅·관리 김종림

ⓒ 김효태, 2013

등록일 1994년 10월 27일
등록번호 제2-1825호
주소 서울 도봉구 덕릉로 54가길25
전화 02)2237-3301, 2237-3316
팩스 02)2237-3389
이메일 ssbooks@chol.com
홈페이지 http://www.ssbooks.biz

ISBN 978-89-8120-484-6 (03340)

* 책값은 뒤표지에 씌어 있습니다.

국립중앙도서관 출판시도서목록(CIP)

선거 기획과 실행 : 김효태의 노원(병) 재보선 보고서 /
김효태 지음. -- [서울] : 새로운 사람들, 2013
p. ; cm

ISBN 978-89-8120-484-6 03340 : \18000

선거(투표)[選擧]
재보선[再補選]

344.5-KDC5
324.7-DDC21 CIP2013009546

김효태의 노원(병) 재보선 보고서

선거 기획과 실행

새로운사람들

책머리에

"아예 책으로 내보지 그래?"

어느 날 아내가 내게 무심코 건넨 말이었다.

내가 며칠을 고생하며 만들어 내놓은 것이 도대체 무엇인가 궁금했는지, 아내는 완성된 기획물을 한 번 보고 나더니 나로서는 전혀 생각지도 못하던 일을 가볍게 제안해온 것이다.

아내의 말을 마음속에만 담고 지내던 어느 날, 기업과 공동으로 마케팅 기획(Co-marketing)을 하는 회사의 공동대표로 있는 선배를 만나 이런저런 이야기를 나눌 기회가 있었다. 나는 선배에게 우연히 나의 기획물을 보여주었더니, 선배는 내게 "정치권에서는 선거를 앞두고 이러한 필수 조사 · 기획도 제대로 하지 않느냐?"고 물으며 의아해 했다.

물론 여당은 내가 만든 보고서만큼의 분량은 아니지만 최소한의 기초조사를 하기는 한다. 그러나 야당의 경우는 전국적으로 치러지는 선거에서 선거구마다 일일이 조사를 하거나 기획물 또는 보고서를 준비하지 못하는 상황으로 알고 있다.

더군다나 선거를 직접 치르는 각 지역의 선거 캠프들도 대부분 기초적인 조사와 분석은 특별히 하지 않을 뿐만 아니라 그동안 지역에 거주하며 터득하거나 얻어들은 대략적인 가늠에 의존하는 것으로 알고 있다.

조사 · 분석 시스템과 과학적 · 마케팅적 접근을 통한 시도가 덜한 야권에 비해, 여당은 비교적 이러한 준비가 되는 것으로 알고 있다. 여당과 야당 사이의 바로 이러한 차이가 최근에 치러졌던 주요 선거들의 결과에서 드러났다고 볼 수 있다. 그래서 필자는 "선거를 치르는 모든 사람들이 직접 읽으면서 참고할 수 있도록 책으로 한 번 만들어 보자!"는 결심을 하게 되었다.

"자료는 거짓말을 하지 않는다!"

한창 벤처기업 붐이 일었던 2000년도에 나는 코스닥에 상장까지 하게 되는 벤처기업에서 근무했다. 내가 근무했던 회사는 그때만 해도 생소했던 고객관계관리CRM Customer relationship management을 전문적으로 다루는 회사였고, 나는 그 회사의 프로모션 사업부 과장이었다.

그 회사는 우리나라에서 손꼽히는 대기업의 CRM을 맡아서 대행업무를 하는 회사였고, 당시 연 매출이 100억을 넘는 잘나가는 회사였다. 비록 내가 CRM을 직접 운영하는 부서 소속은 아니었지만, 나는 회사 전체회의에 참가하면서 CRM을 이해하고 그 매력에 빠지기 시작했다. 그러면서 데이터라는 것을 잘 활용하기만 해도, 훌륭한 마케팅 기획의 토대를 확보할 수 있다는 사실을 알게 되었다.

이후 나는 몇 차례 회사를 옮기며 마케팅 기획이나 컨설팅과 관련된 업무에 종사했고, 업종은 각기 달랐지만 나의 업무 프로세스는 크게 다르지 않았다. 나의 일은 자료와 데이터를 사용하여 차후에 예상되는 시장 상황과 그에 따른 마케팅 대비책을 만들어서 실행하는 일이었다. 나는 어떠한 업종이라도 기본적으로 필요한 데이터가 존재하며 그 데이터를 찾아내어 활용함으로써 얼마든지 어려운 상황을 극복하고 새로운 전략 · 기획물을 충분히 창출해낼 수 있다는 것을 확신하게 되었다.

이런 과정을 거쳐 필자는 선거와 정치 계통에 발을 들여놓게 되었고, 여러 차례의 선거 경험을 통해 우리나라 선거판이나 정치권에서는 이러한 자료조사와 분석, 그리고 이를 통한 체계적인 기획이 크게 부족하다는 것을 깨닫게 되었다. 그래서 이것을 극복하기 위해 무엇이 필요한지 고민을 하였고, 실제로 보고서와 기획물들을 만들어보기도 했다. 이후 지금 이 책의 내용에 근접한 수준의 기획물이 되기까지는 다시 몇 차례의 전환점을 거치게 되는데, 그 중 첫 번째가 바로 손낙구 선배님의 저서인『대한민국 정치사회 지도』이다.

내가 그 책을 접하던 시기가 바로 선거에서 필요한 데이터 종류에 대한 궁금증이 상당부분 해결되는 시점이었다. 또한 내가 손낙구 선배님의 저서에서 표현된 그 이상의 데이터를 찾게 되는 계기가 되기도 하였다. 손낙구 선배는 자신의 저서에 대해 스스로는 겸손해 하시지만 그 책은 정말로 우리나라 선거와 정치에서 대동여지도와 같은 발명품이라고 할 수 있다.

필자는 그 이후 스스로의 노력으로 필요한 데이터를 얻어내는 방법을 계속 모색했고 지금도 항상 '선거에 실질적으로 도움이 되는 (공개된)자료가 무엇이 더 있을까?' 하는 생각을 하고 있다. 어떻게 보면 이 책의 내용을 구성하는 보고서는 아직도 미완성이고, 앞으로도 계속 업그레이드되어야 할 제작물이라고 할 수 있다.

시간이 지나고 환경이 달라지면 새로운 자료와 데이터가 나오게 마련이다. 손낙구 선배님의 저서만 하더라도 2005년 조사 자료다. 이후 2010년에 전국조사가 다시 이루어졌고 지금은 통계청 사이트를 통하여 2010년 조사 자료를 볼 수 있다. 또한 모든 기초자치단체에서 해마다 갱신한 새로운 자료를 내놓는다. 선관위에서 발행하는 선거총람이나, 유권자 의식조사 같은 자료들도 전국적인 선거가 치러진 다음에는 매번 새로 조사하고 제작하여 발간한다.

자료는 누적된 결과와 새로운 자료를 비교하며 그 변동사항을 체크하고 분석해야 변화를 읽을 수 있다. 그러므로 나의 작업은 언제나 '진행형'일 수밖에 없을 것이다.

선거 기획에서의 또 다른 전환점

선거 기획물 제작에 있어서 전환점이 되어준 또 다른 사례가 있다. 필자는 지금과 같은 수준의 보고서나 기획물을 만들기 위한 초기 단계의 제작물을 처음 만든 후에, 몇몇 지인을 찾아가 의견을 구한 적이 있었다. 그렇게 자문을 구했던 분들 중에는 현재 한림국제대학원 교수로 계신 김헌태 전 KSOI 소장도 포함되어 있었다.

당시 대부분의 지인들이 필자의 초기 제작물을 보고 별다른 얘기가 없었던 반면, 김헌태 선배님께서는 나의 기획서가 나아가야 할 구체적 방향과 부족한 점, 보안해야 할 점 등 많은 부분에 대한 지적과 함께 장점을 좀 더 부각시킨 기획이 따라야 하는 점 등 아낌없는 조언을 해주셨다.

다른 분들처럼 김헌태 선배님이 초기의 기획물을 보고난 후에도 별다른 반응을 보이지 않았더라면 아마도 후속 작업을 더하지 않고 포기했을지도 모른다. 그런데 김 선배님은 스스로 만족하며 진화를 포기했을지도 모르는 필자가 다시 제대로 작업을 하도록 일깨워주신 분이었다는 생각이 든다. 이 글을 통해 손낙구, 김헌태 두 분께 무한한 감사를 드리고 싶다.

"투표를 반드시 하는 유권자 중에, 투표 3~4주 전까지 후보를 선택하지 않은 유권자가 전체의 60%다. 이런 60%의 유권자에 대한 내용을 조사하고 분석하여 이들이 우리 후보를 선택할 수 있도록 작전을 짜는 것이 바로 선거 기획이다."

이 책의 본문에서 서술하였듯이 우리나라의 선거에서 실제로 투표를 하는 유권자의 60% 이상이 공식 선거운동 기간이 시작될 시기인 투표 3~4주 전 시점까지도, 자신이 어느 후보를 찍을 것인지 결정하지 못하고 있는 것으로 나타났다.

선거 기획은 바로 이런 60% 이상의 유권자들이 우리 후보를 선택하도록 유도하기 위하여 펼치는 작전이다. 이러한 작전을 만드는 과정은 지역 유권자의 특성과 성향, 의식 등을 정확하게 파악하여 유권자들에게 맞는 절절한 공략 방법을 찾아내는 것이라고 할 수 있다.

선거 운동은 이렇게 도출된 작전(선거 기획)을 직접 실행하여 우리 후보의 장점을 극대화하고 단점을 극복하며, 필요에 따라서는 상대 후보를 공격하고 상대의 공격을 방어하기도 하는 일련의 전쟁과 같은 과정이라고 표현하고 싶다.

"데이터가 없는 추측은 고집이거나 아집이다."

필자가 아는 어느 유능한 후배가 자신의 페이스북에 남긴 말이다.

필자가 정치권에 발을 디딘 후 느낀 첫 인상은 "이곳에는 참으로 말 잘하고 머리 좋은 분들이 많구나!" 하는 점이었다. 그리고 그 분들의 표현을 빌리자면 이미 정권을 수차례 잡고도 남았을 것 같은 기분마저 든다. 항상 말이 앞서고 말뿐인 경우가 허다하다는 얘기다. 선거판, 정치판에 드나드는 어지간한 사람들은 전부 뛰어난 전략가이고 엄청난 컨설턴트로 보이기도 하다.

모두들 나름대로 자신감의 표현 방법이고 스스로를 높이기 위한 방법일 수도 있으나, 아쉬운 것은 거의 대부분이 말로 시작해서 말로 끝난다는 것이다. 하다못해 1~2장짜리 보고서도 없이 말로써만 말이다. 그리고 당연히 실행과 실천이 따르지 않는 공허한 얘기로 끝난다. 그래서 필자는 필자가 만든 형편없는 기획물이건 아니면 이보다 훨씬 훌륭한 수준의 전략 · 기획서건 어떤 것이 있다고 해도 이를 실행하지 않으면 아무 소용이 없다는 사실을 독자 여러분께 거듭 강조하고 싶다.

독자 여러분께서 이 책을 읽어가다 보면, 필자가 이 책을 통해 누누이 강조하고 있는 부분을 확인하실 수 있을 것이다. 필자는 시종일관 무엇보다도 '실행', '실천'이 중요하다는 사실을 피력하였다.

실행과 실천이 없는 전략은 무용지물이다!

중국의 고대국가 한漢나라를 세운 유방은 그의 곁에 장량이 있었기 때문에 천하를 얻은 것이 아니라, 장량의 말을 실천했기 때문에 천하제패를 한 것이다. 그리고 한비와 같은 이상주의자는 『한비자』같은 훌륭한 책을 썼지만 이상으로만 머물렀고 결국은 그 책으로 인해 자신의 명이 단축되었다.

하지만 시황제 영정과 재상 이사 같은 현실주의자들은『한비자』를 보고 이를 실천하였기 때문에 천하통일을 이루고 자신들의 제국을 만들었다. 선거에 임하는 분들에게 이처럼 실행이 가장 중요하다는 사실을 다시 한 번 강조하고자 한다.

이 책은 노원(병) 재 · 보궐선거를 기준으로 집필되었기 때문에 국회의원 선거구에 준하는 조사와 선거 방법으로 명시되어 있다. 물론 필자가 이전에 만든 각급 선거에 대한 보고서(기획물)도 있지만, 국회의원 선거를 기준으로 하더라도 큰 차이는 없을 것이다. 따라서 기초단체장 선거와 광역의원 선거를 준비하시는 분들도 이 책을 참고하여 선거 준비를 하는 데는 전혀 무리가 없다. 만약 기초의원(시군구 의원) 선거를 준비하는 분들이 활용하자면, 조사 범위를 압축하는 대신 좀 더 세밀한 분류가 따라야 할 것이다.

광역단체장의 경우, 조사 범위가 매우 넓어지므로 방대한 양의 데이터를 효과적으로 운영할 필요가 있다. 또 분류 · 분석을 해야 할 포인트가 선거구 내 읍 · 면 · 동의 범위를 넘어 시 · 군 · 구 단위로 확대해야 하고, 포기해야 할 계층과 지역에 대한 과감한 분류도 필요할 것이다. 그런가 하면, 혼전 지역이나 중도층이 많은 지역에 대해서는 조금은 세밀한 분석을 하고, 전국적인 선거 구도와 지역적 요구 사항을 적절하게 적용하여 시 · 군 · 구 단위로 별도의 대책을 강구해야 한다.

마지막으로 지면을 통해 몇몇 분들에게 감사의 인사를 드리고 싶다.

턱없는 내용에도 불구하고 기어코 책을 낼 수 있도록 많은 도움을 주신 새로운사람들 출판사 이재욱 사장님, 부족한 후배인 나를 언제나 믿어주고 끌어주시는 윤석규 선배님, 중요하고 어려운 판단을 필요로 할 때마다 본인의 일처럼 생각하며 같이 고민해주고 명쾌한 해답을 내주는 이근섭 선배님, 나를 위해 가끔은 평소에 하지 않던 일도 마다않고 도와주는 공희준 선배, 서로에게 충고와 고언을 아끼지 않고 나누는 강훈식 특보, 후배의 맹랑한 부탁에도 항상 웃으며 받아주시는 정명수 선배, 내가 20년 넘게 칭얼대도 늘 같은 모습으로 있어주는 임형묵 선배, 내게 언제나 든든한 후원자 같은 정 원 선배에게도 감사 인사를 드린다.

끝으로 잘나가는 직장 때려치우며 정치권 일을 해보겠다고 나선 철없는 남편을 항상 묵묵히 기다려주고 믿어주는 나의 사랑하는 아내, 그리고 아빠가 친구인지 엄한 어른인지 구분이 잘 안 되어 헷갈려 할지도 모르는 나의 외동딸에게도 이 기회를 통해 고맙다는 말을 꼭 전하고 싶다. 그리고 사랑한다는 말도 함께….

대모산 끝자락에 자리 잡은 우리 집 서재에서

지은이

추천사

2000년 초에 어느 광고대행사에서 차장으로 근무하고 있을 때다. 어느 날 회사 대표로부터 한 통의 이력서를 건네받았다. 그 이력서의 주인이 이 책의 저자인 김효태 후배였다.

이렇게 직장 선후배의 인연으로 시작해서 벌써 13년이 넘게 그 끈이 이어지고 있는 중이다. 저자와 같이 한 직장에서 일한 기간은 2년 남짓이었다. 길다고 하면 길고 짧다고 하면 짧은 시간이다. 단순한 과거의 직장 선후배 사이로 끝났을 인연이 아직도 이어지고 있는 가장 큰 이유는 바로 인간 김효태의 타고한 인성 덕분이다. 아직도 자주 연락하고 때가 되면 만나 서로의 안부를 걱정하는 것은 저자의 타고난 성실함과 진실성 그리고 친화력 덕분이라고 감히 말해도 좋겠다.

같이 일할 당시를 떠올려본다. 매주 월요일 오전 8시에 열리는 회사 간부급 회의는 여간 불편한 자리가 아니었다. 그래서 나는 의도적으로 참여하지 않았고 나를 대신하여 회의에 참석했던 김효태 후배가 나 때문에 사장님으로부터 꾸지람을 자주 들었던 것으로 기억한다.

이 기억을 다시 더듬는 이유는 저자가 그만큼 성실했다는 사실과 더불어 안 들어가도 그만인 회의에 꼭 참석하여 자신의 상사인 나를 대변해주고 배려해 주었던 희생이 고맙기 때문이다. 많은 시간이 흘렀지만 그 기억을 떠올릴 때마다 항상 김효태 후배에게 미안하고 고마운 감정이 생생하게 돌이켜지곤 한다.

함께 했던 직장생활이 끝나고 저마다 다른 곳에서 사회생활을 하던 중 김효태 후배가 정치와 관련된 일을 한다는 이야기를 다른 후배에게 전해 들었다.

"아니, 김효태가 정치권에 발을 들여 놓았다고?"

나는 한 마디로 의아해 했다. 지금도 마찬가지다. 김효태 후배가 왜 정치권에서 일하는지 솔직히 이해가 가지 않는다. 왜냐하면 그가 가지고 있던 훌륭한 자질, 즉 성실함, 진실성, 친화력과 엉뚱하지만 기발했던 기획력이 복마전과도 같은 대한민국 정치판에는 썩 어울리지 않는다는 생각이 들었기 때문이다.

그리고 편견일지 모르겠지만 지금도 그를 만날 때면 정치권 일을 그만두는 것이 어떠냐고 조심스럽게 물어보곤 한다.

그럴 때마다 그는 나에게 자신이 꿈꾸는 세상이 있으며, 그 꿈이 실현될 때까지 그리고 마지막 한 줌의 불씨가 살아있을 때까지는 최선을 다하겠노라고 확신에 찬 눈빛과 굳은 의지가 담긴

어투로 말하곤 한다.

저자가 꿈꾸는 세상이 구체적으로 어떤 세상인지 내가 온전히 이해하고 있다고 한다면 그것은 거짓말일 것이다. 하지만 막연하게나마 저자가 꿈꾸는 세상은 국민 모두가 하나 되는 아름다운 세상일 거란 생각에는 변함이 없다.

그리고 김효태 후배가 기획하고 실행했던 지방자치단체 선거와 국회의원 선거, 그리고 대통령 선거에 대해 짐작해본다. 물론 선거와 관련하여 내가 알고 있는 것보다 더 많은 일을 해왔을 테지만, 그는 어떤 일이건 모두 데이터를 기초로 선거 기획을 하고, 그 데이터를 통하여 도출된 결과를 기반으로 향후 선거 지형을 예측 가능한 수치로 도식화했을 것이다.

어느 날 우연히 살펴보았을 때 지금까지 기업광고와 프로모션 일을 전문으로 해온 나도 깜짝 놀랄 만큼 방대한 자료를 기반으로 하고 있었다. 또 본질적으로 선거에서 정당이 후보자를 내어 국민의 선택을 받는 과정이나, 기업에서 새로운 상품을 출시하여 소비자를 대상으로 판촉하고 홍보하는 과정이 너무나도 흡사하다는 사실을 다시 한 번 깨달았다.

향후 소비자를 움직일 기업 마케팅 가운데 가장 주목을 받고 있는 것이 빅 데이터big data를 활용한 마케팅 계획의 수립인데, 김효태 후배는 선거라는 시장 영역에서 누구보다 빨리 빅 데이터 이론을 접목시킨 선구자일 것이다.

김효태 후배는 탁월한 기획력으로 말과 설이 난무하는 정치권에서, 데이터를 기반으로 정확한 선거 결과를 예측하는 새로운 시스템을 도입했다고 할 수 있다. 이것은 저자가 훌륭한 선거 기획자이자 훌륭한 데이터 수집가임을 방증하는 것이다.

저자와 가끔 술자리를 가져보면 저자의 정치 지향점과 나 자신의 정치 지향점이 아주 극단적인 대척점에 있다는 것을 항상 느끼곤 한다. 하지만 그 대척점까지도 허물어뜨리는 저자만의 재치 넘치는 해학과 통찰력 덕분에 나도 모르게 즐겁고 가벼운 마음으로 저자의 말에 몰입되곤 한다. 그 이유를 헤어진 후 곰곰이 생각해보면 그만큼 저자 자신이 풍부한 지식과 경험으로 무장되어 훌륭한 내공이 쌓인 결과로 짐작이 된다.

요즘 저자를 만나 주요 지방자치단체 축제의 현황과 발전 방향에 대하여 조언을 듣는데, 조만간 그와 함께 지역 축제의 현황도 조사할 겸 전주로 출장을 갈 예정이다. 그리고 맛있는 전주비빔밥을 함께 먹으며 언제나 그렇듯 남자들의 시끄러운 수다에 몸을 던져볼 참이다.

끝으로 김효태 저자가 꿈꾸는 세상이 대한민국에 실현될 수 있기를 간절히 바라며 글을 맺는다.

㈜퍼스트플랜 대표이사

정 원

[일러두기]

1. 이 책은 지난 2013년 4월 24일 진행된 국회의원 재·보궐선거 지역 중 하나인 노원(병) 선거구에서 출마한 무소속 안철수 후보의 선거 캠프에 필자가 작성하여 전달해준 선거 기획서를 기본으로 하여 저술했다.
2. 필자가 작성한 선거 기획서는 PPT로 제작되었으나 이 책에서는 이미지나 표, 그래프 등 필요한 사항을 제외하고는 모두 문장과 표현을 변경하였다.
3. 책은 선거 기획서에 있는 각각의 슬라이드 한 페이지씩을 하나의 섹션으로 하였고, 각 섹션마다 '서주(Intro) → 본문→ 인용 자료 출처와 자료를 구할 수 있는 곳→ 메모와 각주(Note, Tip) '등의 내용을 바탕으로 구성하였다.
4. 필자가 작성한 선거 기획서 부분을 '본문'으로 삼고, '본문'앞에 '서주(Intro) '형태로 본문의 내용이 왜 필요한지에 대한 간단한 설명을 붙이기도 했다.
5. 메모와 각주(Note, Tip) 부분은 본문에 대한 보충설명이나 내용과 관련한 에피소드 등으로, 노원(병) 지역이 아닌 다른 선거구에서 선거 준비를 하는 분들을 위하여 본문의 내용과 같은 자료를 구하고 해석할 수 있는 방법 등을 설명하였다.
6. 필자가 각 섹션별로 '본문'내용을 작성하는 데 필요한 인용 자료의 출처를 표시하였고, 다른 지역에서 선거를 준비하는 분들이 선거 기획을 하기 위해 자료를 구할 수 있는 방법이나 해당 자료가 있는 곳을 별도로 표시하였다.

contents

제2장 선거

c o n t e n t s

제3장 전략 _115

contents

프롤로그

노원(병) 안철수 후보와 선거 캠프에 전달한 선거기획서의 프롤로그인 이 문서는 2013년 19대 국회의원 재·보궐 선거를 앞두고 출마 준비를 하는 안철수 님과 선거와 관련된 업무를 진행하는 OOO 님을 위하여 작성한 문서입니다.

이 문서는 작성자의 관점인 마케팅적 성향의 이론과 개념을 바탕으로 작성하였습니다. 선거는 유권자 중심의 마케팅적 접근을 하여야 하며 '선거는 마케팅이다!'라는 말을 강조합니다.

'마케팅'이란 우선 소비자의 입장에서 그들이 바라는 욕구를 정확히 파악한 다음 이를 충족시킬 수 있는 제품을 개발하여 제공하는 것입니다.

선거도 유권자 심리를 파악하고 그 욕구를 충족시킬 수 있는 전략을 개발하는 일련의 과정입니다. 또한 마케팅의 목적은 브랜드의 가치를 높이기 위한 것이며, 마케팅 전략은 목표 달성이 아니라 시장경쟁에서 우위를 달성하는 것이라는 점에서 선거와 매우 유사하다고 할 수 있습니다.

선거의 마케팅적 접근이란 유권자를 알고 이해함으로써 유권자의 욕구에 맞는 자질과 공약을 개발하여 상품력(경쟁력)을 보유한 후보자를 유권자들이 선택할 수 있도록 만드는 것입니다. 유권자를 후보자에게 끌어오는 것이 아니라 후보자가 유권자에게 다가가도록 만드는 것이라고 봅니다.

마케팅 전문가 알리스는 자신의 저서에서 "『경영은 커뮤니케이션, 마케팅은 포지셔닝"이라는 말을 강조했습니다. 이를 선거에 비유하여 다시 표현하자면 "정치는 소통, 선거는 포지셔닝"이라고 할 수 있습니다. 그만큼 선거와 마케팅은 진행하는 과정과 목적지향성이 유사합니다.

자, 그러면 선거를 어떻게 준비해야 할까요?

마케팅이든 선거든 정찰이 대단히 어렵습니다. 소비자(유권자)의 마음을 정찰하는 가장 중요한 방법은 우리가 쉽게 접하는 자료들에 정답이 있습니다. 좀 더 강조하여 표현하자면 "정확한 자료가 승리를 견인한다."고 말할 수 있습니다.

"선거를 시작하면서 가장 먼저 해야 할 일은, 객관적 사실에 바탕을 둔 자료를 제대로 모으는 것"이라고 할 수 있습니다. 이러한 자료를 모으고 분석한 것을 토대로 하여 전략과 전술이 만들어지고 실행된다면 효과적으로(승리하는) 선거를 치르는 가장 올바른

길이라고 할 수 있습니다.

이 문서는 성격상 선거라는 행사를 앞두고 큰 틀에서 준비하는 '전략기획'문서로 규정할 수 있습니다. 그러나 이 문서는 작성자 한 사람의 개인 생각과 판단으로 이루어졌기 때문에 그 적용 범위에 한계가 있을 수 있고, 출마 준비 중인 후보자의 캠프에서 별도의 '전략기획'도 있을 수 있습니다. 따라서 이 문서의 목차 구성을 위한 제목 설정 등을 감안하여 '전략기획서'보다는 '보고서'라고 표현하겠습니다. 이 보고서의 문체는 분량 조절과 신속한 검토를 위하여 간결체를 사용합니다.

보고서는 기본적으로 기존 데이터를 쉽게 알아보기 위해 도표화하였고, 이렇게 도표화된 기본 데이터를 우선 제시한 다음 작성자에 의한 데이터 분석과 예상, 대응 방안 등을 제시하는 방식으로 작성되었습니다.

문장은 때에 따라 특히 강조할 부분을 다른 색깔로 표시하였습니다. 또한 도표 등에 원활한 구분을 위하여 색상을 입혔으며, 가능하면 특정 정당들이 추구하는 고유의 색상으로 맞추었습니다.

그리고 시기상 기술 시점을 보류하여야 할 부분이 있거나 해당 선거 캠프에서 작성해야 좀 더 객관성을 갖출 수 있는 부분은 공란으로 비워두었습니다. 이는 현지 캠프에서 해당 부분을 직접 작성하여 사용할 수 있도록 한 조치입니다.

선거구 내의 거주 인구에 대한 기본 사항을 알아보고 심층 조사와 분석을 하여 유권자 특성을 파악한다.

유권자는 집합체가 아니며, 사회의 다원성만큼이나 다양하게 세분화된 유권자들을 공략하기 위해 마케팅적 접근이 필요하다.

'자료는 거짓말을 하지 않는다.'

'정치는 전체를 목표로 하고, 선거는 세분화된 대상을 목표로 한다.'

'유권자 상태를 알아내는 것은 전쟁을 앞두고 기본적인 지형지세를 파악해내는 것만큼 중요한 일이다.'

제1장
조사와 분석

선거구의 인구 성향 분포

가구 · 주택별 현황

취업 · 직업 인구 분포

'제1장 조사와 분석'에 관한 정리

우리는 지금 선거라는 전쟁을 앞두고 있다고 가정해 보자. 전쟁을 치르기 전에 적과 싸워야 할 지역에 산과 강이 어디에 있고, 전략적으로 중요한 지역과 고지가 어디인지 먼저 파악하여야 한다. 그래야 우리 부대를 어디에 어떻게 배치할지, 주요 전력을 어디에 집중해야 할지 결정할 수 있다.

이를 선거에 대입시켜 보자. 선거구 내의 인구에 대한 세분화, 거주민들과 거주 공간 등에 대한 분류, 유권자들의 이동 형태 등을 파악해야 한다. 그래야 우리가 선거를 앞두고 후보나 유세 팀의 선거 유세 동선이나 메시지, 선거 컨셉트Concept, 슬로건Slogan, 공약이나 정책 등을 어떻게 설정할지 방향을 잡을 수 있다.

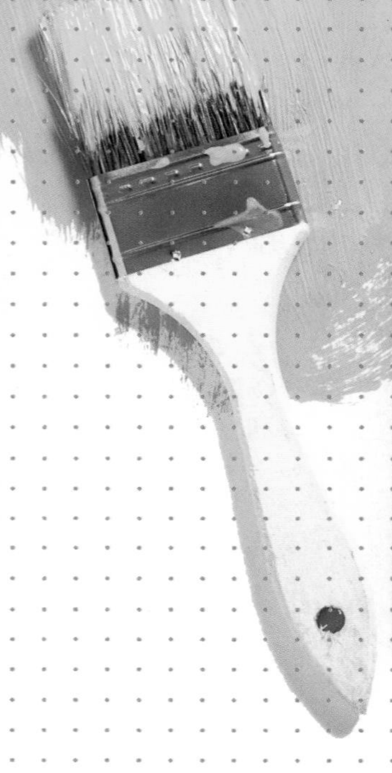

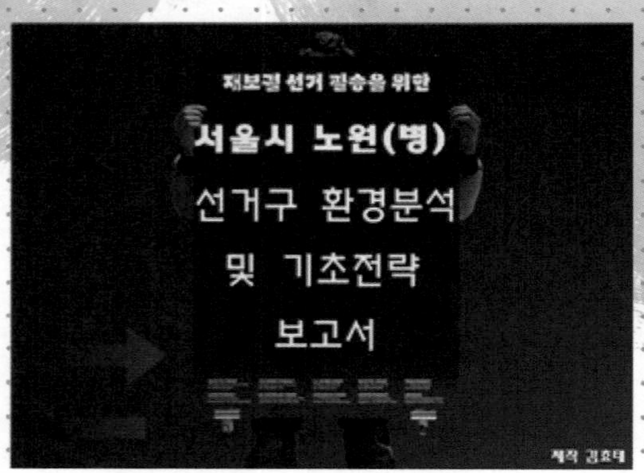

노원(병) 캠프에 전달한 실제 선거기획서 표지.

선거구의 인구 성향 분포

우리 지역에 사는 유권자들은 어떤 사람들일까?

객관적이고 정확한 자료 수집과 분석을 하지 않고 선거를 치르려는 출마자와 스텝들은 흔히 이런 말을 한다.

"내 지역은 내가 가장 잘 안다."

과연 그럴까? 이는 노인 분들이 "내 몸은 내가 가장 잘 안다."고 하며 병원에 가지 않는 것과 다를 바 없다. 선거구의 토박이라고 자부하던 후보자들도 모르고 있던 유권자들의 특성이 자료를 통해 나타난다. 대략의 가늠에 의해서가 아니라, 정확하게 조사된 자료들과 누구나 볼 수 있도록 공개된 자료들에 의해서 그동안 우리가 모르고 지나쳐온 유권자들의 특성을 알아낼 수 있다.

인구 이동(전출입 인구 분포, 노원(병) 지역

우리 선거구에 이사를 온 유권자들은 어디서 왔나?

우리 선거구에서 살다 떠나는 유권자들은 어디로 가나?

지역에 이사를 오고 가는 유권자들은 무슨 이유로 이동을 하는 것일까?

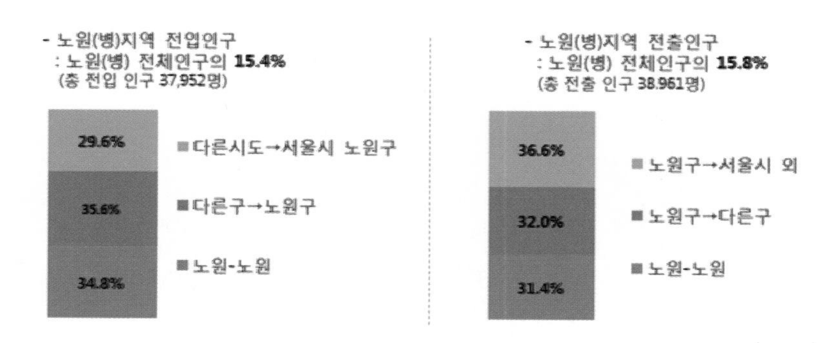

주민이 이동하는 이유를 알면 지역의 입지적 위치를 파악할 수 있다.

노원구청 홈페이지에 공개된 자료를 바탕으로 조사한 결과 노원(병) 지역의 특이사항은 다음과 같이 나타났다.

노원(병) 지역의 인구는 전체적으로 약 1,000여 명 줄어들었다(전출이 전입보다 약 1천 명 가량 많음).

전출의 경우 노원구에서 서울시가 아닌 타 시도로 옮기는 경우가 많고, 전입은 서울시의 다른 구에서 노원구로 이동하는 경우와 노원구 내에서만 이동하는 경우가 많다.

노원구가 서울시내 다른 자치구에 비해 비교적 집값(전·월세 포함) 이 저렴한 점 등의 이유로 보인다. 반면 노원구 역시 집값(전·월세) 상승으로 서울시 외곽으로 전출하는 경우가 늘어나는 것으로 보인다.

Note

이러한 인구이동 자료와 분석은, 선거구가 도시지역과 상업지역인 경우 좀 더 유용한 자료가 될 수 있다. 도시·상업지역은 아무래도 인구이동이 잦은 지역일 수밖에 없기 때문이다. 지역에서 유권자들이 실질적으로 얼마나 이동을 했으며 전출·전입하는 인구가 어느 곳으로 가고 어디서 왔는지 파악하는 것은 선거구 내의 선거인단 파악에 있어서 필수적인 사항이다.

반면 농촌지역일 경우는 도시지역에 비해 인구이동이 많지 않을 수 있다. 그래서 자칫 인구 이동 자료를 무시할 수도 있는데, 꼭 그렇지만은 않다. 농촌지역의 경우는 인구이동이 빈번하지 않기 때문에 오히려 지표상의 작은 움직임도 민감하게 받아들여야 한다. 오히려 도시지역보다 좀 더 자세하게 파악할 필요가 있다.

예를 들자면 최근 3~4년 동안의 인구이동 자료를 비교해 보면, 지표상 작은 수치이지만 유달리 이동이 잦은 연도가 보일 수 있다. 이는 어지간해서 이동(이사)을 하지 않는 농촌지역에서 작지 않은 변화가 생겼다는 것을 암시하기 때문이다.

인구 이동에 관한 자료는 각 시군구(기초 자치단체) 홈페이지에 공개된다(해마다 연도별로 해당 자료가 정리되어 있음).

거주기간별 현황(노원구 전체)

우리 지역 유권자들은 얼마나 오래 살아온 사람들일까?
그리고 준準토박이 이상의 거주민은 얼마나 될까?

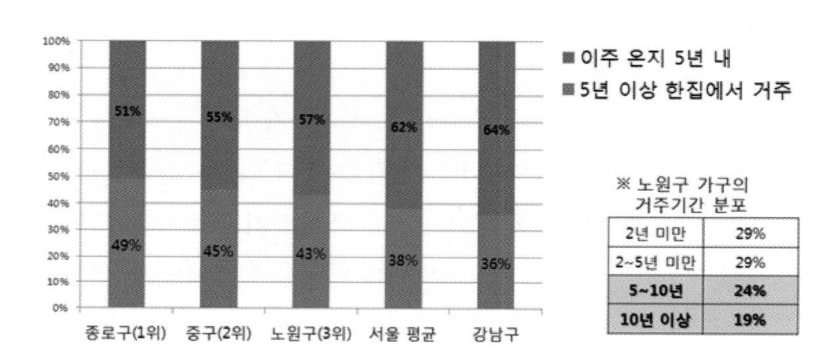

※ 노원구 가구의 거주기간 분포

구분	비율
2년 미만	29%
2~5년 미만	29%
5~10년	**24%**
10년 이상	**19%**

유권자들이 지역에 거주하는 기간을 분류해 보면 지역에 갖는 애착심의 정도를 가늠해 볼 수 있다. 만약 거주기간이 길지 않은 가구의 분포가 높을 경우 정치 초보자나 출마를 처음하게 된 후보에게 불리한 상황이 조금은 감소될 수 있다. 왜냐하면 이사를 온 지 얼마 되지 않은 유권자에게서는 같은 지역에서 출마 경험이 있는 후보건, 지역의 오래된 정치인(후보) 이건, 처음 출마한 후보건 모두 처음 보거나 알게 되는 정치인(후보) 일 것이기 때문이다.

노원구청 공개 자료와 통계청 국가 통계포털 사이트 자료를 바탕으로 특이사항을 살펴보면 다음과 같다.

노원구는 5년 이상 장기 거주한 경우가 높은 비율을 보임. 국립공원, 학원가, 유흥가 등에 모두 접근성이 좋으며, 서울의 다른 자치구에 비해 집값(전세 값) 이 비교적 저렴하고, 중소형 가구 위주의 주택이 주를 이루는 영향으로 보인다.

반면 급속한 소득의 변화(주로 소득 상승) 등의 외적 변화가 적은 계층이 많고, 기혼자(기혼 가정) 가 서울시 평균에 비해 많이 분포된 영향(결혼 후 주거 지역으로 안착하는 비율이 높다는 애기) 으로 보인다.

Note

대부분 장기 거주를 하는 농촌지역의 경우는 크게 의미를 두지 않아도 되는 자료이기는 하다. 그러나 도심지역의 경우, 지역에 애착을 두고 거주하는 사람들이 얼마나 많은지에 대한 분포를 알아볼 수 있는 중요한 데이터다.

최소한 5년 이상 거주한 경우라면 앞으로도 계속 거주할 가능성이 매우 높으며, 지역 발전과 지역 현황에 대하여 민감할 수밖에 없다. 이는 해당 거주민들이 정치 이념(보수냐, 진보냐, 중도냐)을 떠나 지역 발전에 도움이 되는 후보자를 선택할 여지가 크다는 것이다.

예를 들어 영남지역의 경우 새누리당 후보가 아니어도 무소속이나 비교적 중도 성향의 야권 후보나 무소속 후보를 지지할 수도 있고, 호남 지역의 경우 민주당 후보가 아니어도 무소속이나 제3정당, 또는 여당 후보를 지지할 가능성이 높아질 수도 있다. 또한 충청 지역일 경우 과거 공화당, 선진당, 국민중심당 같은 충청 기반의 정당 후보가 아니어도 새누리당이나 민주당 같은 후보에게 얼마든지 표심을 줄 가능성이 높다는 얘기이기도 하다.

반면 5년 미만의 거주자가 많은 지역이라면 지역에 대한 애착보다는 특정 정당에 대한 '묻지 마 식'투표가 있을 수 있지만, 후보가 전국적 인지도와 인물 능력을 갖추었다면 큰 고민 없이 해당 후보를 선택할 가능성도 높다. 이를테면 지역의 터줏대감 같은 후보에 대한 기본적 인지가 높지 않으므로 정당 투표나 전국적 인지도가 높은(또는 인물 능력 위주의 신인) 후보에게 표가 갈 가능성이 높다.

자료는 해당 지자체의 사이트와 국가 통계포털 사이트에 공개되어 있다.

지역구민 학력 · 종교 분포

후보가 선거 유세를 하면서 빠지지 않고 찾아야 할 곳 중의 하나가 바로 종교시설이다. 대학(재학) 이상 학력 여부를 알아보는 것도 중요하다. 왜냐하면 학력 수준의 분포에 따라 유권자들의 의식과 소득 수준에 영향을 미치기 때문이다. 우리 동네 유권자들은 어떤 종교가 특히 많은지, 또 우리 동네 주민들의 학력 수준은 어떠한지 알아보면 유권자 성향을 유추하는 데 도움이 될 것이다.

-종교인구 분포(노원(병) 전체인구 기준)

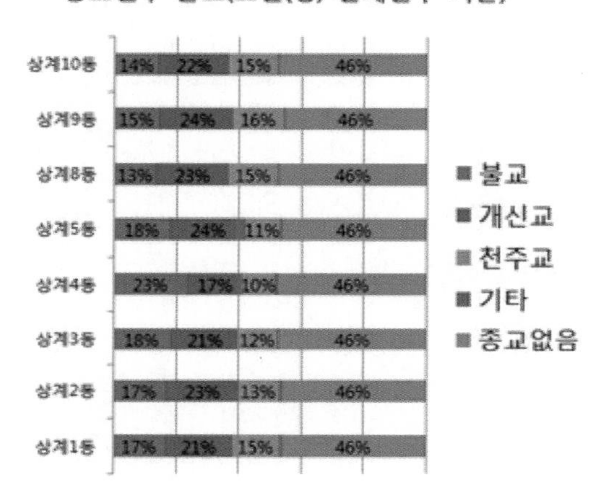

- 노원(병) 만19세 이상 인구 중
대학 이상 학력 분포

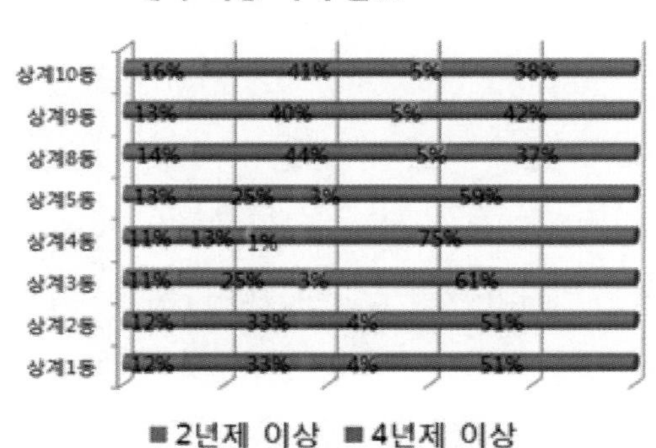

노원구청 공개 자료와 통계청 국가 통계포털 사이트 자료를 통해 살펴본 노원구의 학력·종교 분포의 특이사항은 다음과 같다.

노원(병) 지역 주민은 종교를 갖고 있는 경우가 서울 평균과 비슷하며, 산山과 가까운 지역 조건으로 인하여 비교적 불교신자가 많은 편이다.

대학 이상 학력을 갖춘 사람의 분포가 서울 평균보다 낮은 편이고, 학력 수준에 따른 소득수준 평균도 낮다. 서민과 서민층 이하의 인구분포도가 높은 전형적인 지역이다.

Note

종교의 경우 대체적으로 농촌지역은 불교, 도시지역은 개신교나 천주교와 같은 기독교 계열 종교인의 분포가 높다. 호남의 경우는 비교적 기독교 계열, 영남의 경우는 불교 계열 종교인의 분포가 높다. 또한 농촌지역이 아니라도 선거구 내에 산과 유원지 시설이 많은 경우 불교 종교인의 분포가 비교적 많을 수도 있다.

노원(병)의 경우도 북한산 국립공원이 지역 내에 있고 서울 외곽과 가까운 위치적 영향으로 서울의 다른 자치구에 비하여 비교적 불교 인구가 많은 편이다.

종교를 두고 선거구민의 계층을 분리하는 것은 매우 어리석은 일이다. 그러나 상대성을 두고 비교해 본다면, 천주교의 경우는 중도 성향 분포가, 개신교의 경우 보수 성향, 불교의 경우 보수 성향에 여성·노장층 분포가 비교적 많다고 볼 수 있다.

학력 분포를 보면 대게 농촌지역은 대학 미만이, 도시지역은 대학 재학 이상이 많다. 그러나 농촌지역도 대학 본교 캠퍼스가 위치한 경우나 공기업, 관공서가 위치한 경우에는 예외일 수 있다. 도시지역도 노원(병) 지역처럼 서민이나 저소득층이 비교적 많은 경우 서울 다른 자치구에 비하여 대학 미만 학력의 주민 분포가 높게 나온다.

이런 분석을 통해 서민이 많다, 중산층이 많다, 저소득층이 많다, 고소득층이 많다 등 막연하게 가늠하던 것을 실제 데이터로 확인할 수 있다. 유념해야 할 점이 있다면, 저소득층, 노무직 종사자, 학력 수준이 비교적 낮은 계층이 진보나 야권을 지지할 것으로 보이지만 이외로 보수 성향을 보이며 여당을 지지하는 경향이 높다는 것을 잊지 말아야 한다. 또한 비교적 학력 수준이 있으면서 일정 수준 이상의 소득을 보이는 계층도 무턱대고 보수나 여당만을 지지하지 않는다는 것도 잊지 말아야 한다.

국민기초생활수급자 현황(시설 수급자 제외)

선거구 내의 각 동네마다 최저소득 계층이나 빈곤층의 인구는 얼마나 될까?

혹시 출마 후보와 스텝들 중에서 선거구 내의 빈곤층 숫자와 분포도 파악하지 않고 선거를 준비하는 경우는 없겠죠? 최저소득 계층이나 빈곤층의 분포를 알아보는 가장 적절하고 쉬운 방법 중 하나가 바로 기초생활수급자 현황 조사다.

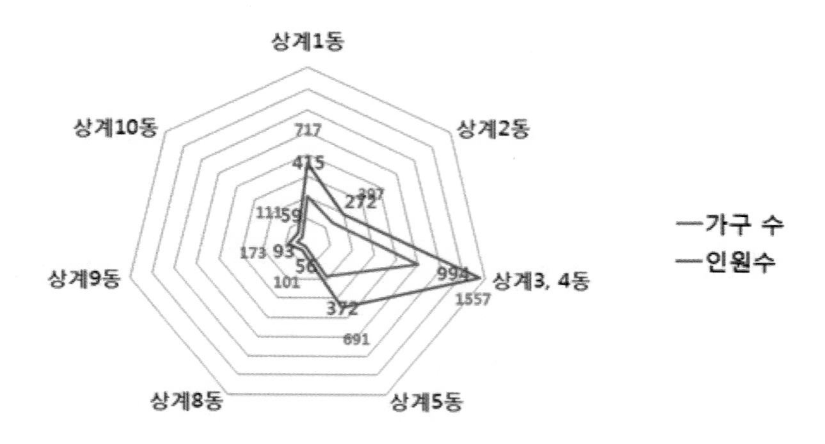

노원구 홈페이지에 공개된 자료를 바탕으로 살펴본 노원구의 특이사항은 다음과 같다. 상계3동과 4동을 합산하여 통계가 나온 관계로 상계3, 4동은 매우 높은 수치를 보인다(그렇다 하더라도 다른 동에 비하면 비교적 많은 수치). 상계1동, 5동도 비교적 높은 수치다(상계5동은 동별 인구수 대비 가장 높음). 노원(병) 지역은 서울의 다른 지역에 비하여 비교적 높은 비율과 수치를 보인다. 최저소득 수준의 가구(인원) 가 많은 서민 이하 빈곤층이 비교적 많은 지역이라는 뜻이다.

Note

기초생활보장수급자 현황은 선거구 내의 최하위 계층이나 최저소득층의 분포를 알아낼 수 있는 중요한 자료다. 다만 시설 수급자의 경우는 예외로 하여야 한다. 해당 지역에 기초생활보장 시설이 있을 경우 수급자의 수가 많아지기 때문이다. 다시 말해 종교단체나 관공서, 기업체 등이 설치하여 운영하는 기초생활보장수급자들을 위한 시설물에서 거주 중인 시설수급자는 예외로 하여야 하며, 개인 수급자 현황만을 보아야 한다. 그래야 해당 지역 인구에 비례한 저소득층의 실제 분포도를 알 수 있다. 또한 무턱대고 해당 수급자 인구·가구의 수치만 보지 말고 해당 지역의 유권자 수에 비례한 분포율도 확인해야 한다.

노원(병) 지역의 경우 아파트가 매우 많은 지역인데, 유달리 상계3동과 4동은 아파트 비율이 매우 낮고, 다세대 주택이나 연립주택 등이 많다. 그러다 보니 최저소득층이 거주할 만한 주거공간도 많으므로 그 수치가 높아진다고 볼 수 있다.

독거노인 가구와 1~2인 가구 현황

우리나라의 1인 가구는 독거노인 가구가 많은 분포를 차지하며, 독거노인 가구의 대부분이 특별한 소득이 없고, 소유재산 수준도 최하위 계층에 속하는 경우가 대부분이다. 1~2인 가구는 특성상 넓거나 비싼 가격의 주택을 필요로 하지 않으며, 소득수준

역시 저소득 이하의 경우가 많다. 독거노인의 분포와 1~2인 가구의 분포를 알면 동네의 소득수준과 유권자 계층의 분포를 쉽게 알아볼 수 있다.

독거노인 가구 수(노원구 전체)

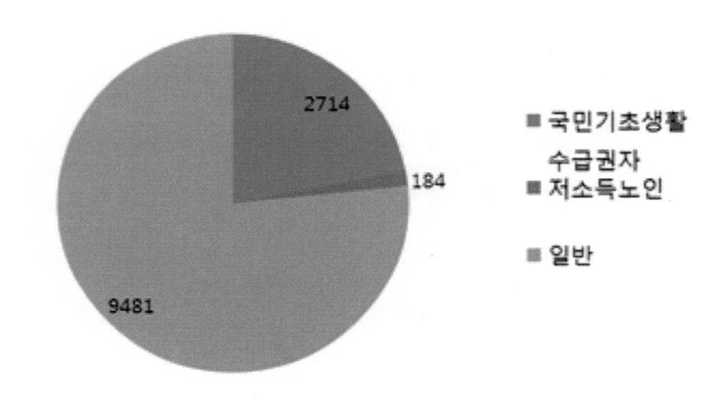

노원구 전체 가구 별 인원수 현황

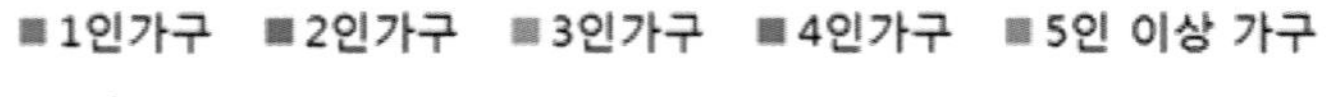

노원(병) 지역 1인 가구 분포

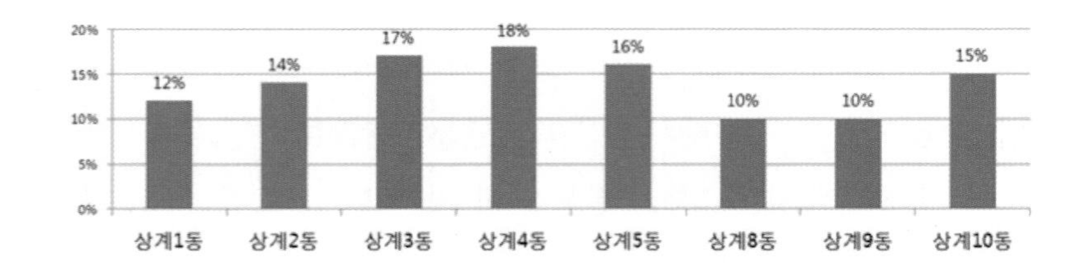

이런 자료들도 해당 지자체 사이트와 국가 통계포털 사이트에 공개되어 있다. 노원구청 공개 자료와 통계청 국가 통계포털 사이트의 자료를 바탕으로 살펴본 특이사항은 다음과 같다.

노원구의 독거노인 수는 서울의 다른 지역에 비해 약간 높은 정도다. 그러나 '저소득+기초생활수급'이 아닌 '일반'의 경우가 높은 분포를 보인다. 이는 은퇴 후 배우자와 사별하고 비교적 저렴한 주택비용으로 소형주택에서 거주하는 일반 독거노인의 경우가 많기 때문으로 보인다.

노원구는 서울시의 자치구 중에서 1인 가구 비율이 가장 낮다. 반면 3인 가구와 4인 가구의 비중은 서울시의 다른 구와 비교해 가장 높은 수준이다. 노원구 주민은 서울의 다른 지역에 비해 세대가 함께 거주하는 경우가 높다고 볼 수 있다.

따라서 세대 구성원 **1**명과 접촉하면 최소 **2~3**명에게 비교적 쉽게 구전이 될 수 있다.

Note

최근 1~2인 가구는 도심과 농촌을 가리지 않고 증가하는 추세다. 도심의 경우는 독거노인과 20~30대의 경제적 독립 계층이나 지방에 본가가 있지만 학교·직장 때문에 도심에서 거주하는 젊은 층의 경우가 많다. 농촌의 경우는 자식을 도심으로 보낸 노부모 등의 독거노인이 많다. 간혹 지방의 중소도시나 농촌지역의 경우, 대규모 공단이나 대학 캠퍼스가 위치하게 되면서 이곳의 젊은 근로자·학생들에 의해 분포가 높아지는 경우도 있다. 문제는 각각의 경우에 따라 해당 가구 인원의 정치적 성향이나 정치적 상황에 대한 민감도가 제각기 다르다는 것이다.

20대, 30대, 40대 1~2인 가구가 많은 지역일 경우, 투표율이 낮고 대체적으로 야권 지지 성향이 강하다. 또한 해당 시기의 정치적 이슈에 대하여 매우 민감한 반응을 보인다. 예를 들자면 2004년 탄핵 정국, 2010년에는 천안함 피폭에 대한 정부의 무능과 MB 정부에 대한 반감 속에서 치른 지방선거, 2007년 대선과 2008년 총선에서 참여정부에 대한 실망감으로 나타난 결과 등이다.

이는 이들이 비록 야권 지지 성향이라고는 하나 해당 시기의 정치적 상황에 따라 언제든 지지 성향을 바꿀 수 있다는 얘기다. 그리고 평소든 선거 시기든, 정치인들이 이들과 직접 접촉하기가 어렵다. 이들은 거리유세 등에서 만나기 힘들고 출퇴근 경로에서 유세 인사를 하더라도 정치인들과 쉽게 조우하려 하지 않는다. 그리고 전통적인 선거 조직에 의한 접근도 쉽지 않다.

이들에 대한 선거 공략은 SNS나 온라인 카페 등을 통하거나 이들끼리의 소모임과 취미생활 등을 통한 접근이 그나마 몇 되지 않는 방법들 중 하나다. 이처럼 이들과의 접촉이 쉽지 않은 만큼, 현수막과 공보물 등의 슬로건을 통하여 이들에게 공감이 되는 강렬한 메시지를 주어야 한다. 그리고 언론을 통해 짧게 나오는 후보의 전략적 메시지 등에 큰 영향을 받을 수 있다는 사실을 활용해야 한다. 무엇보다 이들의 아침 출근, 등굣길 동선을 정확히 파악하여 부지런히 인사를 하는 것이 그나마 이들을 잠시라도 만나고 대화할 수 방법일 것이다.

반면 도시지역의 독거노인이나 노년층 1~2인 가구의 경우는 투표율이 높다. 그리고 보수적 성향이 강하다. 또한 정치인을 상대로 적극적인 의사표시를 하며, 정치인과의 접근도 주저하지 않는 편이다. 전통적 선거조직을 통한 접근도 쉬운 편이다. 이들은 보수든, 진보든 지지 성향에 대한 기존 인식을 바꾸기가 쉽지 않다. 그러나 계층 간에 집단의식이 존재하므로 적절한 구전 메시지를 개발하여 전파하고, 꾸준히 노력하는 후보의 모습을 보인다면 충분히 공략할 수 있다.

이들은 만남을 마다하지 않는다. 또한 종교가 있을 경우 새벽예배(개신교) 나 새벽미사(천주교) 등에 적극 참가한다. 사찰(불교) 방문도 다른 종교인들에 비하여 빈번하다. 이들을 만날 때는 가르치려 하지 말고, 듣기를 많이 하며, 중요한 전략적 메시지 한두 마디만 하는 것이 좋다. 다소 구태의연한 모습 같지만, 이들을 만나면 큰 절을 하고 '어머님', '아버님'등의 호칭을 아끼지 말아야 한다. 이들은 관심을 필요로 한다. 또한 통장이나 동네의 빅 마우스를 통해 적극적으로 구전 홍보를 하는 것도 적절한 방법이다.

농촌지역의 1~2인 가구(독거노인 가구)의 경우 역시 투표율이 높다. 그리고 해당 지역별로 '묻지 마 식'정당투표가 따른다.

그러나 지역발전을 위해서라면, 전국적 인지도를 갖춘 무소속 후보나 제3정당 후보에게로 표심을 전환할 가능성이 있다.

그리고 때때론 도심에 나간 자식들에 의한 특정 후보 권유가 먹힐 가능성도 높다. 도시지역에 나간 자식들은 자신의 고향에 어느 후보가 나왔는지 관심을 가질 수밖에 없으므로 언론과 인터넷 홈페이지나 블로그 등을 통한 후보의 전략적 컨셉트와 메시지 전달이 중요하다. 그만큼 언론 노출에 대한 전략적 방법도 충분히 고려하며 공략하여야 한다. 그리고 역시 자주 찾아가 뵙고 이야기를 듣는 것이 중요하다.

현직으로 출마하는 후보자일 경우, 이들을 만날 때 표심과 상관없이 매우 많은 잔소리와 불만을 각오해야 한다. 현직에게는 표를 주었던 만큼 기대도 크고 실망도 크기 때문이다.

1~2인 가구의 라이프스타일

우리나라의 1~2인 가구 추세와 라이프스타일에 대해 살펴보면 다음과 같다.

2010년 현재, 총 가구의 45%가 1~2인 가구임. 20년 후엔 50% 이상이 1~2인 가구로 예상된다. 인구 고령화, 독신화, 일부러 아이를 갖지 않는 부부들, 이혼 증가, 성인 자녀의 독립 공간 욕구 등이 요인으로 작용한다.

우리나라 가구원수별 비중 추이

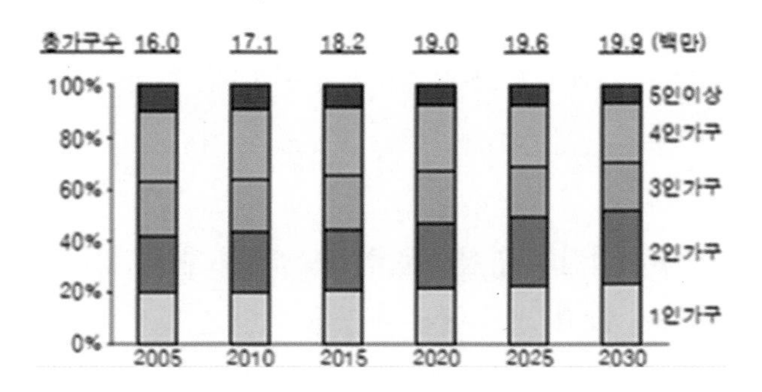

1~2인 가구 증가에 따른 트렌드는 주거 공간 구조의 스마트 **Smart**화(주택의 소형화), 생활의 엔터테인먼트**Entertainment**화, 커뮤니티**Community**화(소통할 친구 필요. 1~2인 가구 중심으로 모여 살기 등) 로 요약할 수 있다.

현재 우리나라 1~2인 가구의 라이프스타일은 정보 추구, 웰빙 추구, 실리적 트렌드, 도회적 문화 향유, 브랜드 지향, 타인 의견 수용, 편리 추구 등의 특성을 가진다. 반면 개인생활 지향과 소비 추구의 성향은 다소 부정적인 요소로서 존재한다.

주목할 점은 1~2인 가구 생활자들은 환경의식이 강하고, 현재 우리나라 1~2인 가구가 거주 중인 주택의 주된 형태가 다가구·다세대 주택임을 감안하면 치안에 대한 불안감이 높은 편이다. 1~2인 가구의 라이프스타일에 관한 자료는 LG경제연구원의 공개 보고서에서 인용한 내용이다.

'선거구 내의 인구 성향 분포'에 대한 요약과 평가

노원구는 서울에서도 집값, 전세 값이 매우 저렴한 편이고, 그로 인해 거주기간이 상대적으로 긴 편이다(거주기간은 서울 평균보다 가장 높은 비율).

집값과 거주 기간의 영향으로 인해 은퇴 후에도 서울 이외의 지역으로 나가지 않고 계속 머무는 경우가 많은 것으로 보인다. 저소득과 기초생활수급 독거노인에 비해 일반 독거노인의 비율이 매우 높다. 상대적으로 저렴한 주택비용으로 인해 저소득 노인(기초수급 포함) 도 많은 편이다.

그러나 주간 인구는 낮은 편이다(통근·통학을 하여 노원이 아닌 다른 구나 서울 외의 지역으로 많이 나감). 이는 저렴한 집값의 영향으로, 서울을 벗어나지 않으면서도 상대적으로 저렴한 주택비용으로 서울에 거주할 수 있기 때문으로 보인다.

서울에서 1~2인 가구가 가장 적은 분포를 보이고 있으며 가족이 모두 모여 거주하는 경우가 많다. 낮 시간대에 유입인구보다 유출인구가 많으며, 이는 베드타운에서 보여주는 형태다. 직장, 학교 등으로 인한 거주 필요성보다는 저렴한 주거비용 등의 이유로 오랫동안 거주하는 경우가 많다.

가구·주택별 현황

선거구 내의 부동산 가치는 어떨까?

거주 공간에 대한 분류와 조사를 통해 유권자들의 생활수준과 유권자 계층 분포, 동네의 특성을 알아볼 수 있다. 우리나라에서 부동산은, 거주 공간으로서의 가치보다는 보유 재산으로서의 가치라는 기준이 크게 작용하기도 한다.

부동산 가치 기준의 시각으로, 우리 지역과 주변 지역, 우리 지역이 속한 광역시도의 평균 등을 비교해보면 우리 지역(선거구) 유권자들의 주된 성분 계층을 알아볼 수 있다.

집값(전 · 월세 값) 비교(일반 아파트 기준, 노원구 전체)

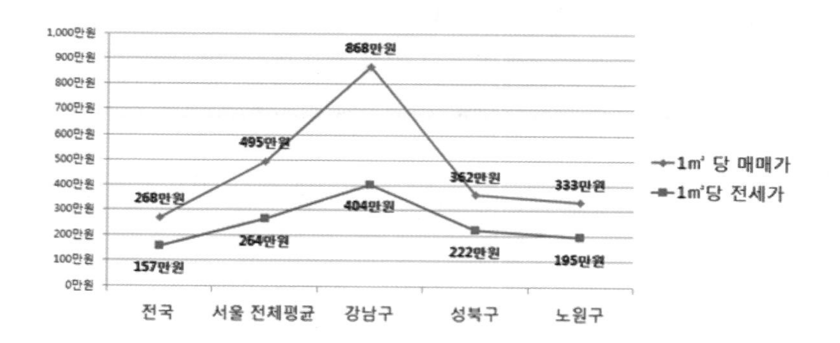

부동산114, 부동산뱅크 등의 자료를 통해 노원구의 특이사항을 살펴본다.

노원구는 서울지역 내에서도 집값(전세 값) 이 가장 낮게 형성된 편이다. 서울시 전체 평균에 2/3 정도 가격으로 형성되어 있다. 강남구의 절반 정도 가격이고, 근접한 성북구에 비해서도 가격이 낮게 형성되어 있다.

낮은 집값(전세 값) 때문에 서울에서 거주 및 주택 보유를 할 수 있는 마지막 지역이다. 이는 노원에서조차 집값(전세 값)의 부담이 있을 경우 서울을 벗어날 수밖에 없는 상황임을 보여준다. 서울에서 서민층(및 서민층 이하) 이 가장 많이 집결된 지역이 노원구라고 할 수 있다.

소득수준 낮은 층, 학력수준 낮은 층, 노무직 종사자 계층이 오히려 보수정당에 투표를 한다는 사실을 잊지 말자!

Note

해당 선거구가 속한 광역시도 지역의 평균치와 광역시도 내의 대표 지역, 그리고 해당 선거구 주변 지역 등을 대푯값으로 놓고 비교해 본다면 해당 선거구의 부동산 가격에 대한 가치와 추이를 잘 알아볼 수 있다.

특히 도심지역인 경우 거주민들이 부동산 가격에 매우 민감하기 때문에 무시할 수 없는 기초자료가 되어준다. 또 이왕 조사를 한다면, 최근 2~3년간 부동산 시세의 변동까지 알아본다면 더 좋을 것이다. 그러면 지역주민들이 느끼는 부동산 가치에 대한 민감성을 데이터로 확인할 수가 있다.

노원(병)의 경우 확실히 서민층과 저소득층이 많이 분포되었을 것으로 보이는 그래프를 보여준다.

농촌지역의 경우 시세 변동의 폭이 크지 않을 것이다. 그리고 주변 시세와도 큰 차이가 나지 않는 경우가 많다. 그러나 갑자기 변동 폭이 크고 변화가 심하게 일어나는 경우가 있다. 이는 도로가 생기거나 대규모 공단 또는 시설물이 유치되는 경우도 있고, 기획 부동산 업자가 유입된 좋지 않은 경우도 있다.

농촌지역의 이러한 갑작스러운 시세 변동은 동네 민심이 크게 동요할 가능성이 높으므로 시세 변동에 대한 기본적 모니터링은 해둘 필요가 있다. 해당 정보는 국내 부동산 정보 사이트에 다양한 방법으로 공개되어 있다.

가구별 주택 소유 형태

선거구 주민들의 주택 보유율은 얼마나 될까?
세입자의 분포는 얼마나 될까?

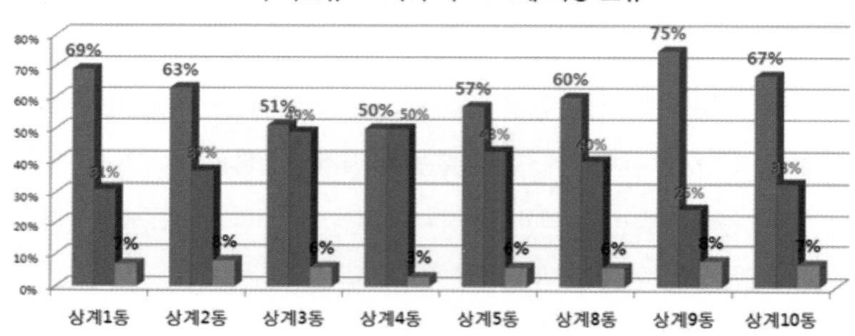

주택 보유 여부를 알면, 주민들의 지역 정착 지속 여부와 지역에 대한 애착의 정도를 가늠해 볼 수 있다. 국가 통계 포털사이트 자료를 이용하여 노원(병)의 가구별 주택 소유 형태의 특이사항을 살펴보면 다음과 같다.

노원(병) 지역은 서울에서도 주택 보유 비율이 매우 높다. 비교적 저렴한 주택가격과 소형주택이 많은 것의 영향으로 보인다.

그러나 상계3동과 4동은 다른 노원(병) 지역에 비해 주택 보유 비율이 높지 않은 편이다. 노원(병) 지역에서 주택을 보유하고 있더라도 중산층 이상의 계층이 많지는 않다. 주택 크기가 대부분 소형이다.

Note

주택 소유 여부는 농촌지역보다 도시지역 분석에 좀 더 유용하다. 도시지역에 주택을 소유한 경우라면 거주민들이 해당 지역을 떠나지 않을 가능성이 높고, 해당지역에 대한 애착이 높을 수 있으며, 지역 발전에 관심이 높을 수밖에 없다. 또한 부동산 시세에 민감하고 때에 따라 재개발, 재건축, 아파트의 리모델링 등에도 민감한 반응을 보인다.

하지만 무턱대고 재개발이나 재건축을 반기지만은 않을 수도 있다. 중산층 이상 노장층의 경우 그럴 가능성이 충분하다. 지금 살기 좋고 큰 변화를 원치 않는데 무리하면서 시끄럽게 개발하는 것을 반대할 수 있다는 이야기다.

세입자가 많은 지역은 재개발이 정작 세입자들의 재산 증식에는 별 영향을 주지 못하면서, 오히려 세입자들을 동네에서 쫓아내야 하는 결과를 가져오기 때문에 좋은 정책이 되지 못할 수도 있다.

그러나 어느 계층이든 거주 지역이나 거주 인근 지역의 발전에는 관심이 많다. 예를 들면 지하철이나 대중교통망 시설 등의 확충, 도로 확충이나 개선, 문화·복지·스포츠 시설 유치, 다른 지역에 비해 부족하였던 시설이나 환경의 개선 등이다.

가구별 (반) 지하 가구, 옥탑방 및 최저주거 기준 미달 가구 등의 분포

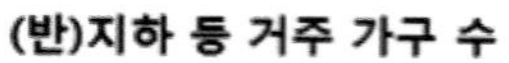

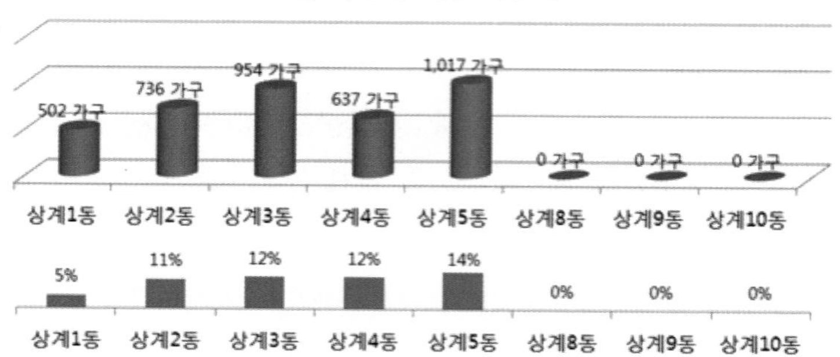

(반) 지하, 옥탑방 등 최저 주거 기준 미달 주택의 분포 조사는 주민들의 생활수준이나 소득수준을 가늠해 보면서, 유권자를 계층별로 구분할 수 있는 중요한 지표가 된다. 이들 주거지는 주로 저소득층, 기초 수급자, 독거노인, 1~2인 가구, 이동(이사) 이 잦은 인구 층이 거주하는 대표적인 주거 형태다. 역시 선거구 내의 유권자 분석을 위한 아주 중요한 조사 자료가 된다.

국가 통계 포털사이트의 자료를 이용하여 노원(병) 지역의 특이 사항을 살펴본다. 노원(병) 지역은 서민층과 저소득층이 비교적 많이 분포하였음에도 주택의 종류는 아파트가 절대적으로 많기 때문에 다른 지역에 비하여 (반) 지하, 옥탑방 등의 주거 시설은 비교적 적다.

주택 형태별 분류는 도심지역의 선거구라면 대단히 중요한 의미가 있다. 반지하, 지하, 옥탑방 등 최저 주거 기준 미달 수준의 가구들이 혹시 부자 동네에 위치한 지역이라고 하더라도, 해당 지역에 있는 일반 가구의 주택가격(전·월세)에 비하여 50% 미만의 가격으로 형성되어 있으며 대부분 월세 형식의 계약이 주를 이룬다. 그리고 이런 주택은 주택 구조상 주로 다가구주택, 다세대주택, 연립주택 등의 주택가에 있을 수밖에 없는 특징도 있다.

이러한 주택에서 거주하는 주민은 서민층 이하의 계층이 대부분이다. 그리고 이러한 주택들은 해당 주택의 건축면적(지상면적) 이 넓다고 하더라도 반지하(지하) 세대용으로 나누어서 임대를 주므로 주택 면적이 50㎡(16평 정도)을 넘지 않는 경우가 대부분이다.

이런 주택들의 분포도가 높은 지역이라면 비교적 저소득층의 유권자가 많은 지역이다. 또한 이러한 지역은 대부분 주차장소가 부족하고, 도로가 협소하며, 비교적 범죄 사고에 취약한 등 주택가 환경개선에 대한 필요성이 높은 지역이기도 하다.

그래서 이러한 지역은 방범등이나 가로등의 설치, CCTV 설치, 주택의 방범시설 설치에 대한 혜택, 주택가 정비사업, 공공주차장 활용, 저소득층 맞벌이 부부를 위한 24시간 탁아소(유치원) 등의 지원 공약이나 정책이 큰 호응을 얻을 수 있다.

거주 주택 형태별 분포

선거구 내의 각 동네별 유권자 계층을 어떻게 가늠해 볼 수 있을까?

주택 형태별 분포를 살펴보면 어느 정도 가능하다.

아파트는 자가 보유와 세입자가 비슷하게 섞여 있으면서 서민층 이상의 계층이 주를 이루며, 단독주택은 대부분이 자가 보유이며 한 집에서 3~4 명 이상의 가족이 함께 거주하고 비교적 보수적 성향이 많다. 다세대와 연립주택 등의 거주자는 세입자 비율이 높고 서민층과 저소득층이 혼재한 지역이 많다.

주택 형태별 분류 자료는 출마를 준비하는 후보자들에게 선거구 내 유권자들의 계층 분류를 위한 객관적 자료로 대단히 유용하다.

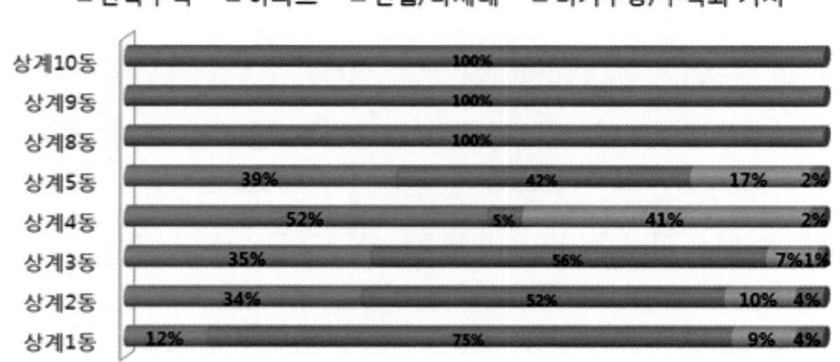

노원구청 공개 자료와 통계청 국가 통계 포털사이트의 자료를 이용하여 노원(병)의 특이사항을 살펴본다.

상계8동, 9동, 10동은 아파트가 100%이며, 상계1동도 아파트 비율이 높은 편이다. 상계4동은 아파트가 불과 5%이고, 단독주택과 다세대주택, 연립주택을 합쳐서 93%에 달한다. 상계4동은 저소득층이 많을 것으로 보인다.

Note

상계8동~10동과 같이 주택 형태가 아파트로만 100%인 경우는 아무리 도심지역이라 하여도 흔치 않다. 상계8동~10동은 다른 동네들과의 인적·물리적 교류가 단절될 가능성이 높다. 이는 선거 유세와 동별 선거 공략에 있어서 상계8동~10동의 경우 다른 동들과는 다른 방식, 다른 메시지가 필요하다는 점이다. 그리고 어쩌면 이렇게 분리된 두 지역 주민들의 지역적 요구사항도 다를 수 있다.

다시 말해 특정한 공약과 정책을 두고 선거구 내의 주민들 간에 이해관계가 상충될 수 있다. 그런 만큼 지역 주민들의 요구사항을 동별 특성에 맞게 세분화하여 파악해야 한다. 각 동네별로 주민들의 욕구에 맞는 공약과 정책을 별개로 개발하고 알려야 한다는 뜻이다.

예를 들자면 재개발과 재건축 등에 대한 공약은 자가 소유 비율이 높은 아파트 지역의 경우 호기심을 갖지만, 주민의 대다

수가 세입자로 구성된 연립·다세대·다가구주택이 많은 지역의 경우는 주민들이 살 곳을 찾아 내쫓겨야 하는 상황으로 받아들여질 수 있다(그래서 재개발보다는 도시 환경 개선 등의 정책이 필요하다).

이렇듯 지역별 유권자 환경에 따른 세분화 작업이 따른 후에 각 동네마다 그에 맞는 선거운동 방법을 선택하여 진행하여야 한다.

거주 주택 크기별 분포

저소득층, 서민층, 중산층, 상류층 등을 구분할 만한 자료는 없을까?

우리나라에서 '집'은 생활을 위한 공간의 개념보다 재산 가치의 기준이 되는 경우가 많다. 불행한 현실이지만, 우리나라에서 계층 구분의 수단으로 활용이 가능하다는 말이다. Home의 의미보다 House(Housing price)의 의미로 더 중요시하는 것이 현실이기 때문이다. 그런 만큼 지역의 거주 주택 크기는 거주민의 의식과 주민 계층을 조사하고 분석해보는 데 아주 좋은 자료다.

넓은 평수에서 거주하는 세입자(전·월세) 라고 하더라도, 이는 해당 가구가 자신들이 속하려는 계층적 소속감의 필요성에 따라 주택 크기를 선택하는 경우가 많으므로 세입자 가구든 자가 보유

가구든 같은 계층으로 분류하면 된다.

30평 이상의 넓이에서 거주하게 되면 대게 중산층으로 보아도 무방할 것이며, 14평 미만일 경우는 저소득층으로 볼 수 있고, 1~2인 가구가 많다.

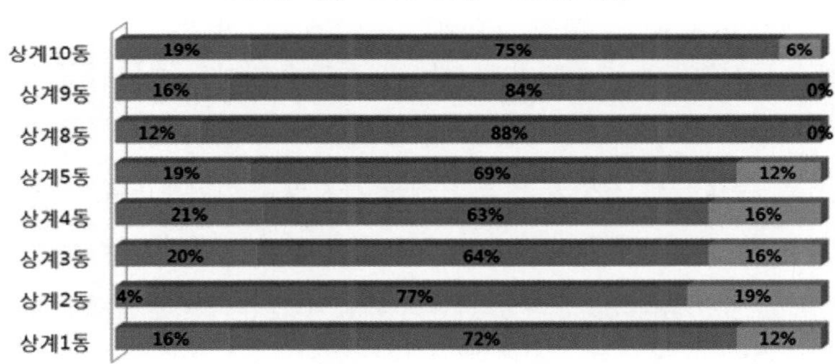

국가 통계 포털사이트의 자료를 이용하여 노원(병)의 특이사항을 살펴보았다. 노원(병) 지역의 주택은 절대 다수가 29평 이하의 크기였다. 서울에서 가장 높은 비율로서 서민, 저소득층의 주된 주택 크기 형태라고 할 수 있다. 그나마 상계2동의 경우 30평 이상이 19%로 지역 내에서는 가장 높은 분포다.

노원(병) 지역의 경우, 대부분의 주택이 29평 이하 크기로 전형적인 서민 밀집 지역이다. 다른 도시지역과 비교해 봐도 노원(병)은 매우 특이한 경우라 할 수 있다. 도시지역에서는 29평 이하의 소형 주택과 30~40평 정도의 중형 주택, 그리고 40평 이상의 대형 주택들이 복합되어 있는 경우가 많다.

도시지역에서 주택의 크기는 해당 거주 가구의 소득 수준과 재산 보유 수준을 알아볼 수 있는 기준이 된다. 우리나라의 경우, 부동산은 거주의 목적과 재산 가치의 목적이 비슷한 비중을 차지하기 때문이다. 그러므로 이런 조사는 해당 지역에 서민층이나 중산층, 중산층 이상의 계층이 얼마나 어떻게 분포되어 있는지 자료로 확인할 수 있는 소중한 데이터가 된다.

같은 통계청 조사라 하더라도 실제 소득수준에 대한 조사에서는 응답자가 임의로 다른 표기를 할 수 있지만, 주택 크기는 속일 수 없이 드러난 자료이기 때문이다.

대형이나 중형 크기의 주택일 경우, 비록 자가 보유(자기 집)가 아니라 전세일지라도 거주민들이 거주 주택에 대한 외적 상징성을 중요시하기 때문에 주택 크기에 따라 거주자들은 대부분 비슷한 수준의 소득과 사회적 지위를 유지하는 사람들이 모여 있다고 보면 된다.

가구 · 주택별 현황 요약과 평가

노원(병) 지역은 아파트의 비율이 절대적으로 많다. 그런데 29평 이하 소형주택의 비율이 서울에서도 가장 높은 비율을 보인다.

주택 보유율이 서울 평균보다 매우 높다. 낮은 주택 가격의 영향으로 보인다. 한 번 거주하면 비교적 오랫동안 거주하는 성향을 보인다. 주택 크기는 크지 않더라도 일단 정착하며, 저렴한 주택 가격으로 주택을 매매하는 경향을 보인다.

아파트 비율, 주택 보유 비율이 매우 높으면서 주택 크기는 소형이 많은 편이다. 특히 노원은 공공 임대주택 비율이 11%를 차지해 서울 자치구 중 가장 높다. 주택의 크기는 중소형이 주를 이루지만 주택 보유율이 높은 편으로, 중산층 이상 계층은 적지만 저소득층도 많지는 않은, 서민 밀집 주거지역으로 봐야 한다.

Note

주택별 현황 조사와 분석을 하면, 재산 수준에 따르는 세분화된 계층 분류가 가능하고 유권자의 계층 분포를 알아볼 수 있다. 이렇게 세분화된 계층 분류를 바탕으로 선거 기획을 어떻게 잡아갈지 방향을 설정할 수 있을 것이다.

취업·직업 인구 분포

우리 사회의 중추이자 나라와 지역 경제에 핵심이 되는 취업·직업 인구를 알아본다. 이들 인구는 정치적 이슈에 민감하고 실물 경제 상황에 직접 영향을 받는 유권자들로서 이미 정치적 성향이 고정되어 있는 노장년층과는 달리 부동층, 중도층의 경우가 대부분이다.

특히 선거 지역이 접전일 경우 그 중요성이 더욱 강조되는 계층이다. 지역 내의 취업·직업 인구에 대한 조사와 분석을 통하여 이들을 어떻게 공략해야 할지 쉽게 목표를 세우고 문제를 풀어갈 수 있다.

취업인구(노원구 전체 기준)

우리 동네의 경제활동 연령대의 분포는 어떤가?

경제활동에 참여하는 연령대가 어떤 분포를 이루는가는 대단히 중요하다. 주류를 이루는 특정 연령대는 해당 지역의 경제활동에서 주력을 형성하고 있기 때문이다. 취업 가능 연령대 중에서 실제 취업(경제) 활동을 하는 인구를 알아본다.

노원구의 15세 이상 총 인구 중 취업자는 32%(16만 9천여 명) 다. 노원구 전체 취업인구 중 연령대별 분포는 20대 19%, 30~40대 64%, 50대 15%, 60세 이상 2%다. 노원구에서는 20대 이상 40대에서 주로 취업 활동을 한다고 볼 수 있다.

노원구청 공개 자료와 통계청 국가 통계 포털사이트의 자료를 바탕으로 특이사항을 살펴본다. 취업자가 32%인 것은 서울시의 다른 자치구에 비해 비교적 낮은 비율이다. 30~40대가 취업인구의 3분의 2를 차지하는 것은 학교에 다니는 자녀를 둔 가장의 경우가 많다는 뜻이며, 이는 노원구의 각 세대별 가구 구성에서 3인 가구와 4인 가구가 비교적 높은 분포를 보이는 현상과 맞물리는 경우로 볼 수 있다.

Note

취업인구 파악은 선거구의 유권자들 중에서, 경제활동을 하는 연령층의 분포를 알아봄으로써 지역의 주류를 이루는 세대가 어느 연령대에 많은지 파악할 수 있다. 노원(병)의 경우 30~40대가 주류를 이루는 비교적 젊은 동네라고 할 수 있겠다.

반면에 비교적 부유층이 많은 지역일 경우 50대 이상의 분포가 노원(병)에 비하여 상대적으로 많을 것이고, 농촌지역도 마찬가지로 50대 이상이 높은 분포를 보일 것이다. 이와 같은 분포를 보이는 선거구일 경우 해당 지역의 여론과 이슈를 주도하는 층이 노장년층이라고 볼 수 있다.

취업인구 파악은 매우 중요하다. 이들은 지역 경제와 지역 여론을 주도할 수 있는 각 가구(세대)의 세대주로서, 해당 지역의 정치와 여론의 흐름에 크게 영향을 줄 수 있는 주류가 되기 때문이다.

노원(병) 같은 지역은 확실히 그 연령층이 30~40대로 비교적 젊은 편이다. 이는 노원(병)의 역대 선거 결과에 있어서 야권 성향이 강하게 반영된 것과 연계하여 설명하기에 충분하다.

그러나 서울 강남권의 선거구를 보면, 노원(병)에 비하여 50~60대 취업인구의 비율이 더 높고, 30~40대는 더 낮은 분포를 보인다. 이런 곳은 지역 여론과 정치적 성향을 주도하는 주류 세대가 50대 이상인 만큼 보수 성향의 결과가 나온다고 볼 수 있다. 취업인구에 관한 자료는 해당 지자체 사이트와 국가통계 포털사이트에 공개되어 있다.

직장 형태별 분포와 취업인 직업 종류

우리 동네에서 경제활동을 하는 사람들은 주로 어떤 일을 할까?

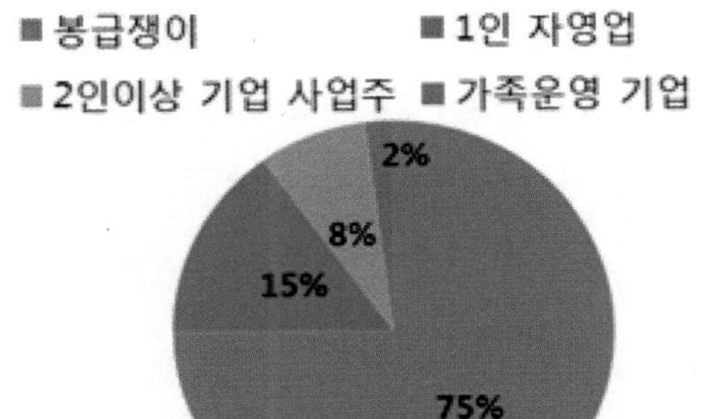

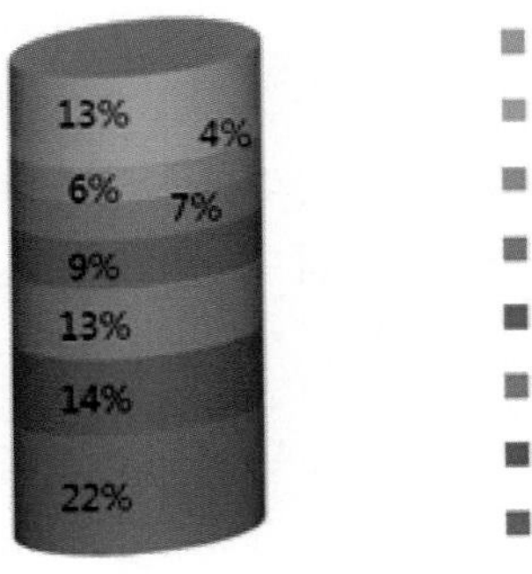

경제활동 분류 조사를 통해 경제 인구의 소득수준이나 생활 형태를 알아볼 수 있다. 통계청 국가 통계 포털사이트 자료를 바탕으로 노원구 경제 인구의 특이사항을 살펴본다.

노원구 거주 인구 가운데 취업자들의 직장 형태별로는 봉급쟁이가 4분의 3을 차지한다. 직장 형태별 분류는 서울의 다른 자치구와(서울시 평균) 유사한 비율로 분포되어 있다.

노원구 내의 많은 자영업, 학원 등의 점주들 대부분은 노원구민이 아닐 가능성이 높다. 공약을 제시하거나 유세를 할 때 자영업 매장 위주보다 주민 편의시설 중심으로 진행할 필요가 있다는 뜻이다.

직업의 종류에 있어서도 노원구는 사무직, 전문가 등등 종류별로 서울의 다른 자치구와 비슷한 비율을 보인다.

Note

노원(병)의 경우 봉급쟁이 비율이 압도적이면서 2인 이상 기업주가 적으며, 고위 관리자나 전문직 비율이 높지 않은 편이다. 다시 말해 노원(병)에는 고소득자가 그렇게 많지 않고 비교적 중간 소득층과 저소득 계층이 많은 것으로 해석할 수 있다.

기업주가 아닌 봉급쟁이라도 고위 관리자나 전문직(의사, 변호사 등)은 고소득자로 분류가 된다. 반면에 같은 봉급쟁이라도 판매·기술·노무직이 많은 것은 저소득 계층의 분포가 높다고 볼 수 있다. 이렇듯 자료를 그냥 보기만 할 것이 아니라 정밀한 분석을 통해 유권자 분포를 알아내는 작업이 중요하다.

출퇴근 소요시간과 통근 수단

경제활동을 하는 유권자들은 얼마나 멀리 통근하고 어떤 교통수단을 이용할까?

경제활동을 하는 유권자들에게 어떤 방식의 유세와 선거 전략을 사용해야 할까?

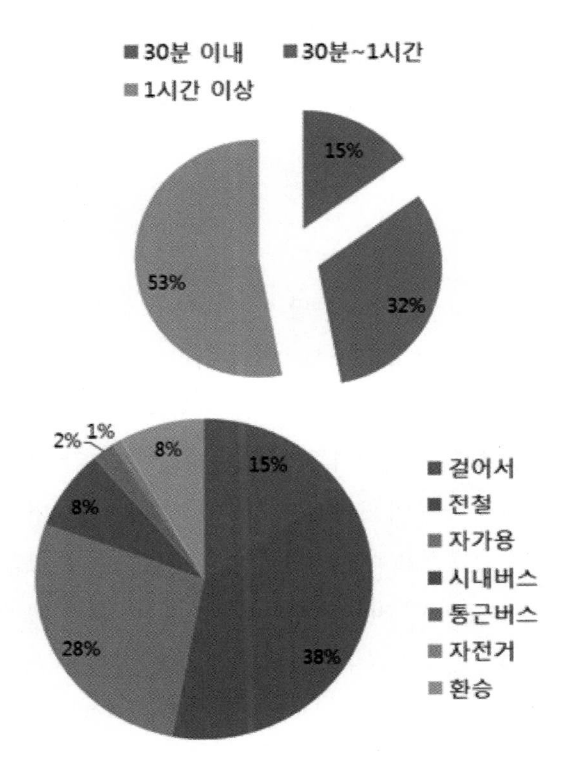

통계청 국가 통계 포털사이트의 자료를 바탕으로 특이사항을 살펴본다. 노원구에 거주하는 취업인구의 출퇴근 시간이 1시간 이상 걸리는 경우가 53%인 것은 서울시에서 가장 높은 분포다. 서울의 최북단에 자리 잡은 자치구로서 서울 중심부와의 접근성이 떨어지기 때문이라고 볼 수 있다.

걸어서 출근하는 비율이 서울시 평균보다 낮고 다른 자치구에 비해서도 낮은 편이다. 직장이 대부분 노원구 이외의 지역에 자리 잡고 있는 영향 때문이다(주간 인구에서 유입 인구보다 유출 인구가 많은 요인과 유사함). 노원구는 일명 베드타운이라고 할 수 있겠는

데, 다른 자치구에 비하여 전철을 통한 통근이 매우 높은 비율을 차지한다(장거리 통근이 많음).

Note

출퇴근 소요시간과 통근수단과 관련된 조사는 우리가 이러한 자료를 어떻게 보고 해석하느냐에 따라 쓸모없는 자료가 될지, 꽤나 중요한 자료가 될지 판가름된다.

예를 들어 노원구 지역과 같이 통근시간이 1시간 이상 소요되고 전철과 자가용 이용자가 많다는 것은 재·보궐선거의 경우(다른 지역보다도) 투표율이 저조할 수밖에 없다는 분석을 가능하게 해준다. 또한 이 지역은 베드타운으로서의 역할이 강하다는 것을 알 수 있다. 이는 선거 캠프가 선거 기획과 유세 활동에서 어떠한 것에 중점을 두어야 할지 알려주는 자료가 된다.

만약 노원(병) 과는 달리 통근시간 소요가 30분 이내인 경우가 많고, 자전거를 이용하거나 도보를 통한 통근자가 많거나 시내버스 이용자가 많은 지역이 있다고 가정해보자. 이런 지역은 유권자가 경제활동을 하더라도 해당 선거구 내에서 활동을 하는 경우가 많으므로, 선거구 내의 유권자들과 쉽게 접할 수 있음을 암시한다.

역시 이러한 경우에도 유권자를 공략하는 선거 전략이 따로 필요할 것이다. 그러므로 이 조사는 선거 기획팀이 선거 유세 시간, 장소, 방법과 그 대상에 따른 선거활동의 방식을 설정하는 데 큰 도움을 준다.

통근 · 통학 인구와 상주인구 현황

낮 시간대에 선거구 내에서 만나는 사람들 중에 직접 유권자들은 얼마나 될까?

후보자와 선거 캠프가 어떠한 방식의 선거 홍보와 유세를 진행해야 할 것인지 방향을 정하기 위해 가늠자가 되어줄 자료는 무엇일까?

통근·통학 인구

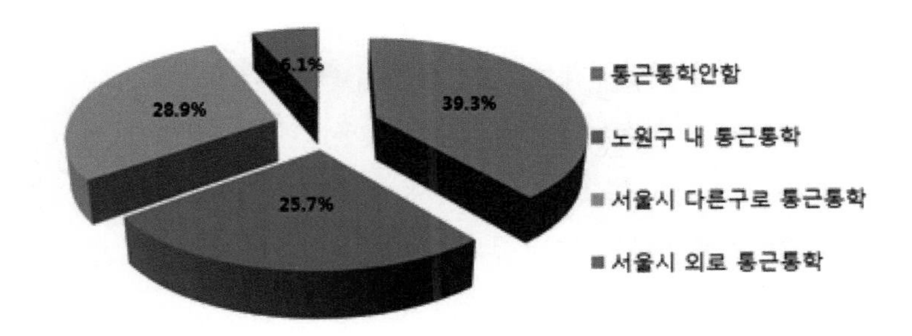

상주인구(주간인구 지수 86%)

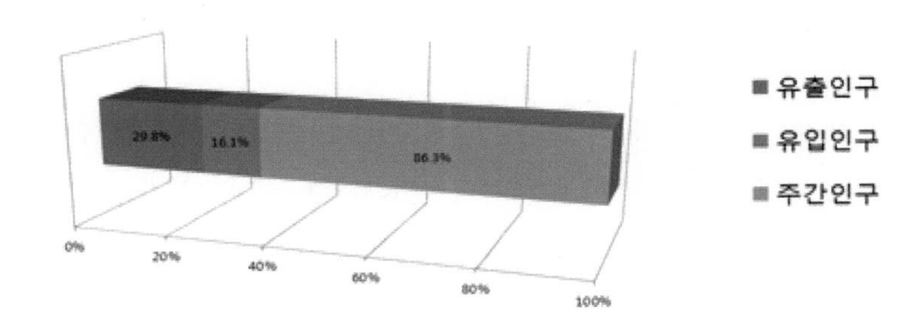

노원구청 홈페이지에 공개된 자료를 바탕으로 노원구의 통근·통학인구와 상주인구의 특이사항을 살펴본다. 만 12세 이상 노원구 인구 중 35%가 노원구 바깥 지역으로 통근·통학(이동) 한다. 노원구 인구의 65%만 낮 시간에 노원구 내에 상주한다는 결과를 보여준다.

아침, 저녁 출퇴근 시간을 통한 유세에 집중할 필요가 있다. 더욱이 재·보궐선거는 휴일이 아니므로 노원구 밖으로 나가는(통근·통학하는) 유권자에 대한 대책이 필요하다. 부재자 투표 신청하기 캠페인, 투표하고 출근하기 캠페인 등.

주간인구지수로 볼 경우, 노원구는 유입보다 유출이 더 많으며 주간에는 노원구 기본 인구보다 더 적은 수의 구민이 구내에서 활동하고 있다. 낮 시간대에 노원구에 상주하는 전체 활동인구의 75% 정도만 노원구민이다. 다시 말해 낮 시간에 노원구 내에 있는 사람 중 25% 정도는 노원구민이 아니다.

다른 선거구에 비해 비교적 주간인구지수가 낮은 편으로 재·보궐선거 투표일이 휴일이 아니기 때문에 투표율에 영향을 미칠 것으로 보인다. 투표율이 낮을 가능성이 있다.

Note

노원구의 만 12세 이상 인구 중 3분의 1은 평일 낮 시간대에 노원구 내에서 활동하지 않는다는 이야기다. 적지 않은 숫자다. 또한 노원구의 주간인구 지수가 86%로 나오는 것은 노원구 전체인구를 대상으로 한 것이기 때문에 상대적으로 매우 낮은 수치라고 할 수 있다. 대부분 기초자치단체의 홈페이지를 보면 이러한 주간인구 지수가 공개되어 있다.

이러한 지역의 경우 해당 선거구 내에 위치한 상업지역에서 선거 유세를 해봐야 직접 유권자와 만날 확률이 높지 않다는 것을 암시한다. 반면에 주간인구지수가 높은 지역일 경우 선거구 내의 어느 지역을 가도 대부분 직접 유권자일 가능성이 높으므로 후보나 유세 팀의 동선을 잡기가 수월할 수 있다.

취업 · 직업 인구 분포 요약과 평가

"그깟 자료들이 터줏대감보다 낫겠어?"

지역의 유지들께서 이렇게 말씀하실지 모른다. 지역에서 평생을 살아온 분들의 자부심을 표현한 말이니 틀린 말은 아니다. 그런데 선거를 앞둔 후보자나 스텝들로서도 정말 그렇게 생각하십니까?

노원구의 취업인구는 서울의 다른 자치구에 비하면 낮은 편이며, 대개 자녀가 있는 3~4인 가구의 가장이 취업인구의 대부분을 차지한다.

통근시간이 1시간 이상인 경우가 매우 많고 장거리 통근을 위해 전철 등 대중교통을 이용하는 경우가 많다. 노원구가 서울의 최북단 자치구로서 서울의 중심과 접근성이 떨어지기 때문이다.

노원구를 벗어나는 통근·통학의 경우가 많고, 주간인구는 유출인구가 유입인구보다 많다. 비교적 많은 수의 인구가 낮 시간에 자신의 동네(선거구)에 머물지 않으므로 휴일로 지정되지 않는 재·보궐선거의 투표율에 영향을 미칠 것으로 보인다. 부재자 투표 신청과 투표하고 출근하기 등으로 투표율을 높이기 위한 구체적인 방안과 실행이 필요하다.

■ 특히 통근·통학 인구의 대부분이 **20~40대**(진보, 중도 성향)이며, 이들은 대부분 낮 시간대에 노원구를 벗어나 있다는 점이 매우 불리하게 작용할 가능성이 있다. 반드시 여기에 대한 구체적인 대안을 마련하여야 한다.

Note

대부분의 후보자나 선거 스텝은 "우리 지역인 만큼, 나(우리)보다 많이 아는 사람은 없을 것이다"라고 생각할 것이다. 그러나 필자가 몇몇 선거구를 조사하여 자료를 보여주면, 대부분의 후보와 스텝들은 눈이 휘둥그레진다. 이렇게 공개된 자료들이 본인들도 모르고 있었던 사실들을 알려주고 있기 때문이다.

당연한 말이지만 자료를 모으는 것만이 중요한 것이 아니라 이를 어떻게 해석하고 분석하느냐, 그리고 이를 어떻게 활용하느냐가 더욱 중요하다. 다음 사실을 잊지 말고 명심하시기 바란다.

자료는 거짓말을 하지 않는다!

'제1장 조사와 분석'에 관한 정리

선거구의 인구 동향, 주택에 따른 분류 조사, 경제 인구에 대한 분석 자료 등을 합하여 1페이지 정도로 정리하면 "우리 동네(선거구)는 어떻다"라고 정의를 내릴 수 있다. 그러면 선거 기획의 방향과 실행 방법도 쉽게 도출導出될 것이다.

- ■ 노원(병) 지역은 베드타운의 전형으로 서민층이 대부분이다.
- ■ 주택 소유의 비율이 높고, 한 번 거주한 곳에서 오랫동안 거주하는 경우가 많다. 준準토박이 주민이 많다는 뜻이다.
- ■ 우리 후보의 주요 지지층이 낮 시간에는 선거구를 벗어나서 활동하는 경우가 많다. 투표율 재고를 위한 대책이 필요하다.
- ■ 가장+주부+자녀 등으로 구성된 우리나라 전통적 핵가족 가구 형태의 세대가 주를 이루고 있으며, 1~2인 가구는 적은 편이나 일반적 독거노인의 경우는 적지 않은 편이다.
- ■ 낮 시간에 노원구에 있는 30~40대 남성은 선거구 유권자가 아닐 경우가 많다. 주요 지지계층인 30~40대 직장인과 후보와의 직접 대면이 어려운 만큼 적절한 주말 유세가 필요하다. 조직 활동에 의한 활발한 지인 찾기 캠페인 중점 운영 필요.

Note

여기까지 조사하고 분석해보면 '우리 선거구가 이러한 곳이다'라고 몇 줄 정도로 요약할 수 있다. 이런 요약은 막연하고 주관적인 정리가 아니라, 객관적이고 정확한 내용들을 바탕으로 정리된 것이다. 이렇게 요약하여 정리하고 나면 우리 지역(선거구) 유권자를 대상으로 어떻게 선거 계획을 세워야 할지 밑그림이 그려질 것이다.

선거구에서의 최근 선거 결과와 데이터를 분석하여 선거구가 갖고 있는 정치 지형을 알아본다. 그리고 이전 선거를 통해 예상해볼 수 있는 선거 구도와 표심票心을 파악하고, 각 정당 · 후보자에 대한 경쟁력과 차후 우리가 가져가야 할 전략적 포인트를 분석한다.

"선거라는 전쟁의 전장(싸움터)은 바로 유권자의 마음속이다!"

"정치 지도자에게 가장 필요한 능력은 시대를 읽는 능력이지만, 선거 지휘자에게 가장 필요한 능력은 전장을 제대로 파악하는 것이다."

제2장
선거

선거구, 선거인 수, 투표율

이전(2004~2012) 선거의 결과

최근 선거 심층 분석

유권자 의식조사

역시 선거를 전쟁으로 비유해 보자.

역대 선거 결과와 최근 선거 결과에 대하여 자세하게 파악하는 것은, 전쟁을 앞두고 해당 전장에서 치러진 전쟁·전투들이 지형의 영향으로 어떤 결과를 가져왔는지 알아보는 것이다.

그냥 그 결과만 가지고 해석할 것이 아니라, 각각의 선거에서 있었던 전반적인(전국적인) 구도와 이슈가 무엇이었는지를 파악하며 해석해야 한다. 그래야 해당 선거구 유권자들의 정치적 성향도 알아볼 수 있다. 선거구의 유권자들 중에 보수층이 얼마나 있는지, 중도층은 어느 정도인지, 진보층의 분포는 어떻고 부동층은 얼마나 되는지 등을 파악할 수 있다는 것이다.

전쟁에서 전장(싸움터)이 아군에 유리한지, 적군에 유리한지도 모르고 무턱대고 "돌격 앞으로!"를 외치는 것은 '승리를 위한 전투'라기보다, '열심히 하고 결과는 운에 맡기는' 꼴만 될지도 모른다.

새누리당
상계동을 위한 진심
1 허준영

박근혜
유신부활
막아
내겠습니다
민주주의자
3 정태흥

노회찬
무죄에
한 표를!
서민을 위해 바친 40년
준비된 여성 국회의원
4 김지선

130
안철수의
새정치,
노원에서
시작합니다
5
안철수

무소속
무소속
6 나기환

선거구, 선거인 수, 투표율

선거구의 기본적인 선거인 수와 읍·면·동별 투표율, 주요 선거에 나타난 읍·면·동별 투표율, 연령별 인구의 분포도와 연령별 투표율 등을 알아본다.

선거인 수와 투표율만 알아봐서는 부족하다. 기본 인구수와 인구의 변화도 살펴볼 필요가 있다. 최근 각 선거의 동별 투표율을 알아보고 유권자의 연령 분포율과 연령대별 투표율을 한 눈에 알아볼 수 있도록 만들어본다.

중앙선거관리위원회에서 제작한 〈18대 대선 총람〉, 〈19대 총선 총람〉, 〈2010 전국 지방선거 총람〉 등의 선거 관련 자료집이 나와 있으며, 홈페이지에서도 관련 내용을 찾을 수 있다.

선거인 수 현황

	19대 총선 대비 18대 대선 때 선거인단 수 증감상황	18대 대선 선거인단수	19대 총선 선거인단수
합 계	-1,323	157,153	158,476
상계1동	-65	34,463	34,528
상계2동	-188	17,929	18,117
상계3, 4동	-482	31,670	32,152
상계5동	-126	19,348	19,474
상계8동	-282	19,206	19,488
상계9동	-81	18,544	18,625
상계10동	-99	15,993	16,092

최근 주요 선거 동별 투표율

	18대 대선 당시 선거인 수	18대 대선 동별 선거인단 분포도	18대 대선 투표율	19대 총선 투표율	2011년 서울시장 재보궐 투표율	2010 지방선거 투표율
전국투표율	157,153	100.0%	75.8%	54.3%	48.6%	54.5%
상계1동	34,463	21.9%	76.9%	55.8%	48.7%	54.5%
상계2동	17,929	11.4%	74.7%	53.8%	47.0%	52.7%
상계3, 4동	31,670	20.2%	71.3%	51.1%	43.7%	50.1%
상계5동	19,348	12.3%	74.1%	53.0%	45.7%	53.3%
상계8동	19,206	12.2%	80.2%	61.4%	51.8%	58.9%
상계9동	18,544	11.8%	79.5%	60.5%	52.3%	57.8%
상계10동	15,993	10.2%	78.8%	58.6%	50.3%	56.2%

노원(병)의 특이사항은 소폭이지만 모든 동에서 선거인단 수가 감소하고 있다. 선거인 수는 상계1동이 가장 많다.

상계8동, 9동, 10동은 항상 전국 평균 투표율보다 2.5~5% 정도 높게 나오고, 상계1동의 경우는 전국 투표율과 유사한 투표율을 보인다. 반면에 상계2동, 3동, 4동은 항상 전국 투표율보다 낮다.

연령대 별 투표율

	19세~20대		30대		40대		50대		60세 이상	
	남자	여자	남자	여자	남자	여자	남자	여자	남자	여자
노원(병) 선거인 분포	11.5%	8.5%	14.8%	7.6%	10.8%	12.1%	9.5%	9.2%	7.0%	8.9%
18대 대선 노원(병) 거주 선거인단 투표율	61.5%	75.1%	71.1%	73.8%	77.6%	80.7%	81.8%	83.2%	83.8%	75.8%

노원구 지역의 선거인 분포를 보면 30대 남자가 가장 많은 분포(14.8%) 를 보였으나 이 계층은 노원(병) 지역구의 성별·연령별 유권자 계층 중에서 두 번째로 낮은 투표율을 보인다. 두 번째로 높은 선거인 분포는 40대 여성(12.1%) 으로 80% 이상의 투표율을 보인다. 20대와 30대는 전반적으로 전국 평균 투표율에도 미치지 못하는 투표율을 보인다.

- 유권자 연령 비율상 야권에 상당히 유리한 분포지만 문제는 투표율이다.

Note

이런 자료들은 선관위 홈페이지나 자료집을 통해 모두 공개되어 있다. 전국 선거일 경우 해당 선거 총람 자료를 통해 매우 구체적이고 세부적으로 결과를 알아볼 수 있다. 해당 선거구의 읍·면·동별로 선거인 수, 각 선거별 투표율, 연령별 선거인 분포도와 연령대별 투표율 등을 취합해 볼 수 있다.

몇 가지 예시한 자료처럼 필요한 사항들을 취합하여 한 눈에 볼 수 있다면 선거구 읍·면·동의 정치 지형과 특성을 쉽게 알아볼 수 있다.

필자는 노원(병) 자료에서 동 단위 정도까지만 분류하였는데, 선거를 직접 준비하는 쪽에서는 좀 더 세분화된 자료로 만드는 것이 좋다. 각 동마다 몇 개씩 설치되는 투표소별로 구분된 세부 자료까지 만들어 보도록 권한다. 선거운동 기간 동안 각 동별 조직책을 구성하고 활용하려면 해당 투표소별 상황까지 조사하고 파악해두는 것도 꼭 필요하다.

자료의 동별 투표율을 보면 각 동마다 투표율에 차이가 많이 나는 것을 알 수 있다. 이러한 내용을 앞서 보았던 동별 인구 성향 분포 자료와 병합하여 분석해 보면 선거구 내의 각 동별 정치 성향을 파악하는 데 도움이 된다.

'연령대별 투표율'을 보면 노원(병)의 경우 성별·연령별로 인구 분포가 가장 높은 계층은 30대 남성층이지만, 투표율은 두 번째로 낮다는 것을 알 수 있다. 이는 야권 성향의 후보자나 선거 캠프에서 앞으로 선거 기획을 어떻게 해나가야 할지 염두에 두어야 할 부분이다.

반면에 여권 성향의 후보자나 선거 캠프의 경우, 60세 이상 여성의 투표율이 노장년층의 투표율에 비해 현저히 낮으므로 여기에 대한 확실한 대책이 필요하는 것을 알아볼 수 있다.

Memo

- 본문의 내용을 살펴보면, 노원(병)에서 안철수 후보 진영에서 왜 사전(부재자) 투표와 투표율 높이기에 모든 역량을 쏟아냈는지 알 수 있다.
- 필자의 보고서대로 노원(병)은 분명히 20~30~40대의 연령층이 많고, 노원(병) 선거구는 이들이 주류를 이루고 있음을 확인했다. 이들의 대부분은 잠재적으로 안철수 후보를 지지할 가능성이 높은 계층이다.
- 그런데 노원(병)에서 이들의 투표율은 다른 연령층에 비해 상당히 낮았고, 재 · 보궐선거에서는 특히 낮았다는 사실이 확인되었다. 그 이유가 제1장을 통해 밝혀진 대로, 이들의 대부분은 출퇴근을 위한 통근시간이 오래 걸리고 낮 시간에는 노원구에서 활동하지 않는다는 것을 자료에서 확인할 수 있었다.
- 이런 심각성이 정확한 자료에 의해 파악되고 분석되었다면, 더 이상 주저할 것이 없다. 그에 대한 대응 방안을 만들고 바로 실행하는 것이다. 노원(병)의 안철수 후보 캠프처럼.
- 안철수 후보 캠프는 이번 재 · 보궐선거부터 새로 적용된 사전투표 제도를 적극 활용하는 대대적인 캠페인을 진행하였고 사전투표만으로 8%가 넘는 투표율을 기록하였다. 이는 4.24 재 · 보궐선거의 모든 선거구 중에서도 가장 높은 투표율이었다. 이러한 투표율을 보인 사전투표가 안철수 후보의 승리에 중요한 역할을 하였다는 것은 더 강조할 필요가 없는 부분이다.

'선거구, 선거인 수, 투표율'에 대한 요약과 평가

선거구 내의 모든 동에서 적은 폭이지만 대체적으로 인구가 감소하는 추세다. 상계8동, 9동, 10동의 경우 언제나 투표율이 매우 높고, 상계1동은 항상 평균 투표율과 비슷하다. 상계2동, 3동, 4동, 5동은 항상 평균 투표율보다 낮게 나온다.

20대와 30대의 투표율이 낮은 편이다. 30대 남성의 선거인단 분포율이 높은 것을 감안한다면 30대 남성의 낮은 투표율은 심각하게 고려할 사항이다.

20대, 30대, 40대 남성의 투표율이 전반적으로 낮다. 유권자의 취업·통근 환경 등에 의한 영향으로 보인다. 이들의 표심이 대체적으로 우리 후보의 지지층에 속한다고 볼 수 있으므로, 이 부분에 대한 대책이 필요하다.

대책의 일환으로 부재자 투표 독려, 재·보궐선거 투표 먼저 하고 출근하기 캠페인 등을 전개했다. 안철수 후보의 자발적 지지자들을 통해 4월 24일 투표하고 출근하기 거리 캠페인을 진행했다.

Note

필자는 노원(병)의 자료를 취합해보고, 데이터 상의 여러 정황들에서 20~40대 남성의 투표율이 선거에 중요한 영향을 미칠 것으로 보았다. 그래서 이들의 투표율 높이기가 해당 선거 캠프의 가장 중요한 일이 될 것이라고 조언하였다.

이처럼 공개된 자료를 확인하고 분석하는 것만으로도 선거 공략 포인트와 문제점을 파악해 볼 수 있고, 우리가 어떠한 방법을 사용해야 유효적절한 선거운동이 될지 찾아낼 수 있다.

Memo

▶ 필자가 지적한 노원(병) 지역의 특성을 인식한 안철수 후보 캠프에서는 선거 초반부터 사전(부재자) 투표하기와 적극적인 투표율 높이기 캠페인을 전개하여 좋은 결과를 얻었다.

▶ 예를 들자면 노원(병)에 출마한 모든 후보들이 홍보용 어깨띠에 본인의 이름이나 기호만을 새겨 넣었지만, 안철수 후보만큼은 사전(부재자) 투표일과 사전 투표를 장려하는 내용의 어깨띠를 착용하였다. 또한 후보자가 언론과 인터뷰를 할 때도 사전(부재자) 투표일과 방법 등을 적극적으로 알리는 등의 활동으로 투표율을 끌어올리는 데 주력하였다.

▶ 이처럼 자료 분석을 통해 우리가 주력해야 할 포인트가 무엇인지 찾아내고, 그 포인트를 얼마나 집중해서 실행해 나가는지가 중요하다. 안철수 후보 선거 캠프는 부재자 투표와 사전 투표 알리기 등 투표율 올리기를 위한 캠페인에 많은 노력을 기울였고 이를 실행하는 데 주저하지 않았다.

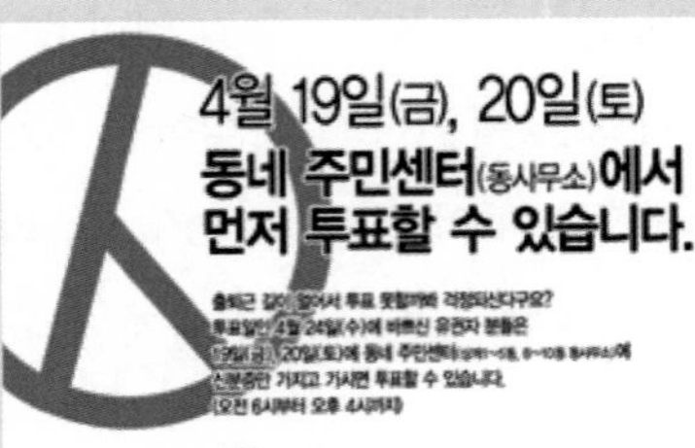

〈공보물의 한 페이지를 사전 투표를 알리는 용도로 사용한 안철수 후보 공보물.
(이미지 출처 : 중앙선관위 사이트 공개 자료)〉

이전(2004~2012) 선거의 결과

우리 지역의 역대 선거 결과는 무엇을 말해주는가?

이전 선거의 결과를 한 눈에 살펴볼 수 있도록 정리해 보면 우리 동네(선거구)의 정치 지형을 알아볼 수 있다. 정치 지형을 알아야 효과적으로 선거를 치를 수 있는 것은 당연지사다.

최근 10년간 우리 선거구에서 치러진 주요 선거(투표)의 결과를 알아보기 쉽게 정리해보면 다음과 같다.

	선거구분	정당	한나라당	민주당	우리당	자민련	민노당				총 투표수	선거인수
2004년 17대 총선 (부재자표 포함)	노원(병) 지역구	후보명	김정기	이동섭	임채정	송재호	진상우					158,338
		득표수	36,738	9,894	44,923	999	6,795				100,066	투표율
		득표율	36.7%	9.9%	44.9%	1.0%	6.8%					63.2%
	선거구분	정당	한나라당	민주당	우리당	자민련	국민통합	공화당	민노당	기타 군소 정당 생략	총 투표수	선거인수
	노원(병) 비례	후보명										158,338
		득표수	33,470	7,760	38,280	1,931	390	47	15,029		100,050	투표율
		득표율	33.5%	7.8%	38.3%	1.9%	0.4%	0.0%	15.0%			63.2%
2006년 지방선거	선거구분	정당	우리당	한나라당	민주당	민노당	국민중심	시민당	한미준	무소속	총 투표수	선거인수
	서울시장 노원(병) 득표현황	후보명	강금실	오세훈	박주선	김종철	임웅균	이귀선	이태희	백승원		158,338
		득표수	21,792	45,033	5,480	2,882	317	61	78	221	100,050	투표율
		득표율	21.8%	45.0%	5.5%	2.9%	0.3%	0.1%	0.1%	0.2%		63.2%
	선거구분	정당	우리당	한나라당	민주당	민노당	국중당	시민당	무소속		총 투표수	선거인수
	노원구청장 노원(병) 득표현황	후보명	서종화	이노근	김학주	최창우	김양섭	정재복	이기재			183,695
		득표수	16,718	39,073	6,167	4,919	332	143	8,348		93,785	투표율
		득표율	17.8%	41.7%	6.6%	5.2%	0.4%	0.2%	8.9%			51.1%

선거	선거구분	정당									
2007년 17대 대선	선거구분	정당	민주신당	한나라당	민노당	민주당	창조한국	무소속	무소속	기타 군소 정당 생략	총 투표수	선거인수
	대통령 노원(병) 득표현황	후보명	정동영	이명박	권영길	이인제	문국현	허경영	이회창			153,456
		득표수	25,051	49,305	2,835	420	7,438	420	12,415		98,218	투표율
		득표율	25.5%	50.2%	2.9%	0.4%	7.6%	0.4%	12.6%			64.0%
2008년 18대 총선 (부재자표 포함)	선거구분	정당	민주당	한나라당	진보신당	가정당					총 투표수	선거인수
	노원(병) 지역구	후보명	김성환	홍정욱	노회찬	김인로						158,354
		득표수	13,036	34,554	32,111	469					80,732	투표율
		득표율	16.1%	42.8%	39.8%	0.6%						51.0%
	선거구분	정당	민주당	한나라당	선진당	민노당	창조한국	친박연대	진보신당	기타 군소 정당 생략	총 투표수	선거인수
	노원(병) 비례	후보명										158,354
		득표수	20,654	28,564	3,151	2,869	3,046	7,656	1,096		80,732	투표율
		득표율	25.6%	35.4%	3.9%	3.6%	3.8%	9.5%	1.4%			51.0%
2010년 지방선거	선거구분	정당	한나라당	민주당	선진당	진보신당	미래연합				총 투표수	선거인수
	서울시장 노원(병) 득표현황	후보명	오세훈	한명숙	지상욱	노회찬	석종현					158,355
		득표수	37,398	40,294	1,439	5,051	271				84,453	투표율
		득표율	44.3%	47.7%	1.7%	6.0%	0.3%					53.3%
	선거구분	정당	한나라당	민주당							총 투표수	선거인수
	노원구청장 노원(병) 득표현황	후보명	이노근	김성환								158,355
		득표수	37,970	45,757							84,453	투표율
		득표율	45.0%	54.2%								53.3%

구분	선거구분	정당	한나라당	무소속	무소속						총 투표수	선거인수
2011년 서울시장 재보궐 (10.29)	서울시장 노원(병) 득표현황	후보명	나경원	배일도	박원순							159,180
		득표수	33,090	247	42,639						76,527	투표율
		득표율	43.2%	0.3%	55.7%							48.1%
2012년 19대 총선 (부재자표 포함)	선거구분	정당	새누리당	통진당	국민생각						총 투표수	선거인수
	노원(병) 지역구	후보명	허준용	노회찬	주준희							162,890
		득표수	36,201	52,270	2,889						92,116	투표율
		득표율	39.3%	56.7%	3.1%							56.6%
	선거구분	정당	새누리당	민주당	선진당	통진당	창조한국	국민생각	기독당	기타 군소 정당 생략	총 투표수	선거인수
	노원(병) 비례	후보명										162,890
		득표수	34,761	30,418	1,577	15,242	285	1,018	985		92,116	투표율
		득표율	37.7%	33.0%	1.7%	16.5%	0.3%	1.1%	1.1%			56.6%
2012년 18대 대선	선거구분	정당	새누리당	민주당	무소속	무소속	무소속	무소속			총 투표수	선거인수
	대통령 노원(병) 득표현황	후보명	박근혜	문재인	박종선	김소연	강지원	김순자				157,153
		득표수	55,202	63,368	58	68	206	97			119,566	투표율
		득표율	46.2%	53.0%	0.0%	0.1%	0.2%	0.1%				76.1%

위의 내용들은 중앙선관위의 공개 자료를 통해 누구나 알 수 있다. 선거구 내에서 10년 이내에 치러졌던 선거들을 한 눈에 볼 수 있도록 정리해 놓으면 선거 전문가가 아니더라도 선거구의 정치적 지형을 대략 알아볼 수 있다.

결과를 보면, 대선이나 서울시장 선거처럼 당선자와 그 선거구에서 가장 많이 득표한 후보자가 틀리게 나오는 경우도 간혹 보인다. 이런 점을 통해 해당 선거구의 정치 성향이 어느 쪽에 비교적 유리하게 작용할지 알아볼 수도 있다.

그리고 해당 선거구의 여당과 야당 분포, 야당 중에서도 군소정당 등에 대한 고정표가 어느 정도인지 가늠해볼 수 있다. 또 정당 후보와 상관없이 선거 때마다 매번 표심을 바꾸는 층이 얼마나 존재하고 있는지도 알아볼 수 있다.

이처럼 선거 지형을 한 눈에 알아볼 수 있도록 정리할 수 있다면, 선거 기획이나 운동의 방향에 대한 기본 방침을 정할 수 있다.

이런 자료를 통해 주요 지지층의 집결이 우선인지, 중도층의 공략이 중요한지, 단일화를 해야 할지, 어떤 인사를 우리 편에 편입하는 것이 도움이 될지 등 전략과 전술의 힌트를 얻을 수 있다. 아울러 비례 투표 결과도 같이 알아봄으로써 유권자들의 실제 정당 선호도를 알아볼 수 있다.

10년간 선거 결과와 최근 여론조사, 그리고 기본적 선거구도와 전국적 이슈 등을 적절하게 적용하여 보면, 앞으로 있을 선거의 흐름을 어느 정도 예측해 볼 수 있으며 그에 따른 기획과 대비가 가능해진다.

최근 선거 심층 분석

최근에 치러졌던 주요 선거의 결과를 동네별로 득표수를 따져보며 상세히 알아보면 동네별 득표 전략을 짤 수 있다.

18대 대선

우리 선거구는 동네별로 어떤 정치 지형(성향)을 가졌을까?

선거의 당면한 목표는 당선이기 때문에 우리 후보의 당선을 위해 각 동네별로 득표 목표를 어떻게 세워야 하느냐가 중요하다. 그리고 이런 목표를 달성하기 위해 동네마다 어떻게 전략을 수립하고, 어느 동네에 유세 등 선거활동을 집중할 것인지 판단해야 한다. 여기서도 선택과 집중의 법칙이 요구된다. 이를 위해 동별 선거 결과를 알아보기 쉽도록 자세하게 구분해 볼 필요가 있다.

18대 대선은 여당 후보(박근혜)의 승리로 끝난 선거임에도 노원(병) 선거구에서는 야권 단일후보(문재인) 가 모든 동에서 앞선 결과를 보여준다. 특히 노원(병) 선거구는 항상 평균 투표율과 유사한 투표율을 보여주었으나 야권단일화가 본격적으로 이뤄진 19대 총선부터 평균 투표율을 상회한다. 이는 노원(병) 선거구에 민주당과 진보당 계열의 후보가 난립하여 여권이 어부지리 승리를 거둔 것에 대한 야권 성향 유권자들의 위기감을 불러 이들의 결집력을 형성한 것으로 보인다. 상계8동의 경우는 야권 후보가 3천 표 이상 앞선다.

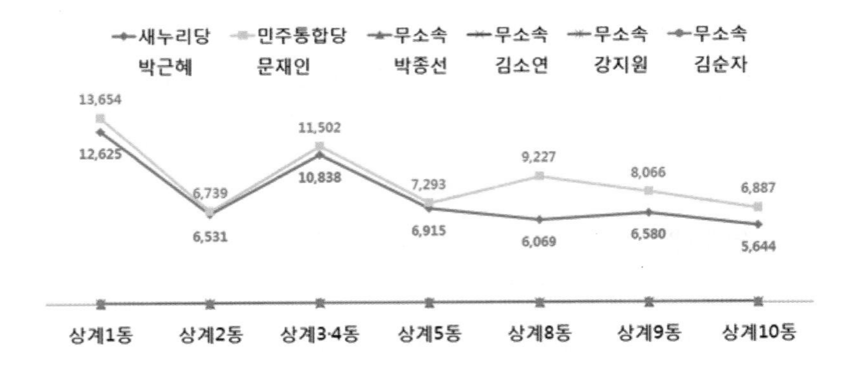

19대 총선(지역구)

야권 단일후보(노회찬) 가 모든 지역에서 월등히 앞선 승리를 거둔다. 상계8동에서 3천 3백 표차, 상계1동, 9동에서 각각 2천 5백여 표 차이로 압도적이다. 노원(병) 유권자들의 야권 단일후보에 대한 표의 결집력을 보여준다. 이전 선거까지 평균치 정도였던 투표율도 야권 단일후보를 향한 결집력이 높아지는 것과 더불어 함께 상승하는 것으로 나타난다.

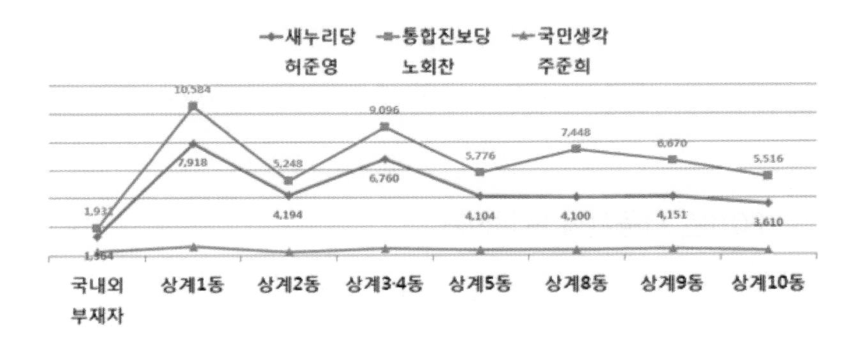

19대 총선(비례, 주요 정당만 표시)

지역구 투표와 달리 정당 투표이기 때문에 야권 단일화가 되지 않은 상태에서의 경쟁으로 상계8동을 제외하고는 모두 새누리당이 승리한다. 그러나 민주당과 통진당의 표를 합산할 경우 모든 동에서 새누리당 득표 수보다 많다.

■ **노원(병)은 야권 단일화를 할 경우, 그 효과가 확실하게 나타나는 곳이다.**

상계8동은 3자 구도로 야권단일화가 되지 않았음에도 민주당이 가장 많은 득표수를 보여준다.

상계8동은 야권 단일화만 된다면 기본적으로 +3천표를 확보할 수 있는 지역이라는 것을 보여준다.

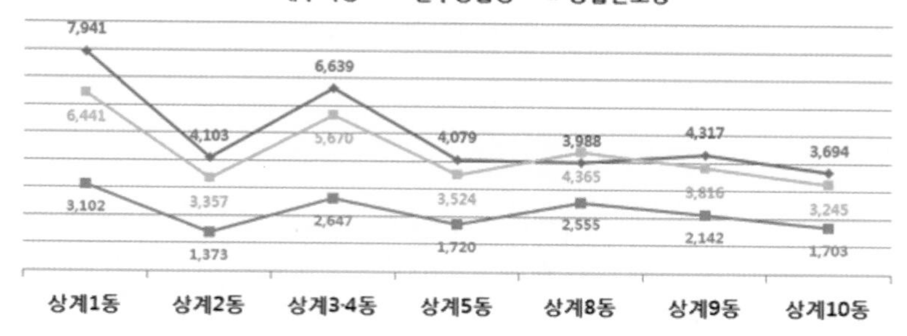

2011년 서울시장 보궐선거

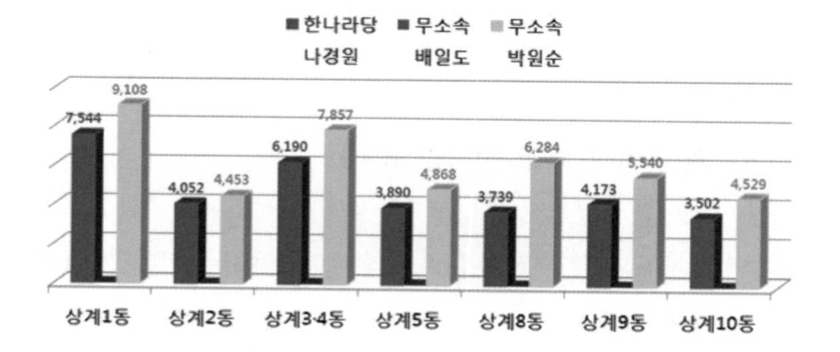

무소속 박원순 후보가 야권단일 후보로 나서서 승리를 거둔다. 노원(병)에서도 압도적 차이로, 모든 동에서 승리한다. 보궐선거라 전국 선거에 비해 투표율이 높지 않은 관계로 상계8동에서의 표차는 2천 5백 표 정도다. (야권) 단일후보에게 집중된 표심을 확인할 수 있다.

2010년 지방선거; 기초단체장(노원구청장) 선거

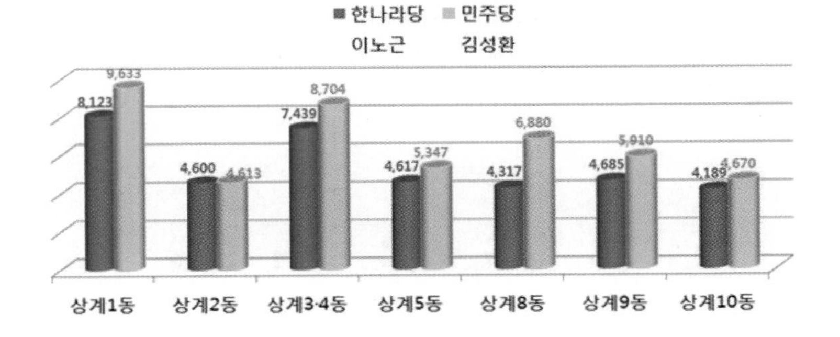

양당 대결 구도로 치러져 야권표의 분산 없이 야당 후보(김성환)가 낙승한다. 모든 동에서 여당 후보를 앞섰고, 다만 상계2동에서는 13표 차이밖에 나지 않았다. 노회찬 후보의 서울시장 출마 등으로 진보당 계열 후보가 출마하지 않아 야권 성향 지지층이 압도적으로 지지를 했고, 상계8동에서 2천 5백여 표의 가장 많은 득표차를 보인다.

당시 선거는 MB정권에 대한 반감으로 서울시의 대부분 자치구에서 민주당 후보가 승리를 거둔다. 후보의 역량이나 선거 전략에 의한 승리라기보다 양자 대결 구도와 정부 여당에 대한 반대표 효과의 영향이 컸던 것으로 보인다.

2010 지방선거; 광역단체장(서울시장) 선거

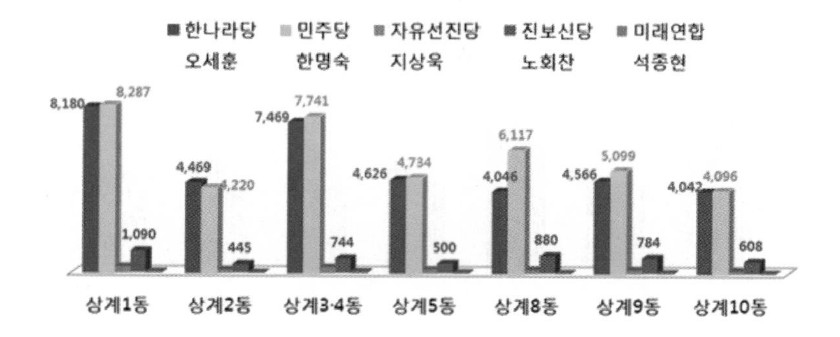

노원(병) 이 지역구인 진보신당의 노회찬 후보가 서울시장으로 출마한 선거로서, 노회찬 후보의 지역구이기는 하지만 (진보신당을 제외한) 야권 단일후보에게 결집된 지지를 보여준다.

※해당 지역구 출신이 나왔더라도 야권 승리를 위해 단일화 후보에게 표를 몰아주는 선거구 특성 보여준다.

여당 후보(오세훈) 가 승리했지만 노원(병)을 포함한 대부분의 강북 지역에서는 민주당 후보(한명숙) 가 앞섰다. 노원(병) 도 노회찬 후보와 표가 갈리기는 하였으나 상계2동을 제외하고 민주당 후보(한명숙) 가 모든 동에서 가장 많은 득표를 했다.

18대 총선(지역구)

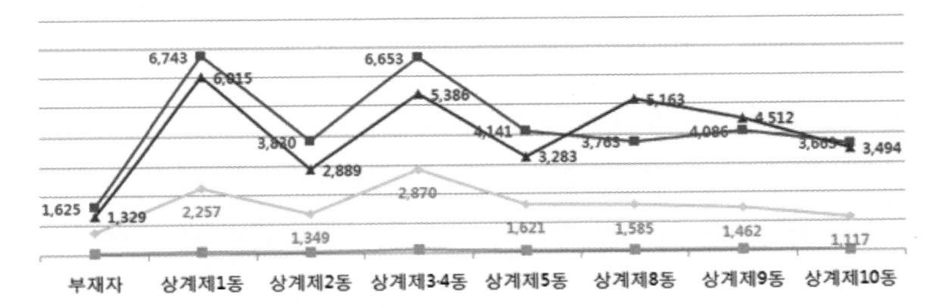

야권 후보가 난립한 가운데, 여권 후보는 참신한 이미지와 인물·능력에 중점을 둔 후보가 출마했다. 결과는 여당 후보(홍정욱)의 신승이었는데, 진보신당 후보(노회찬) 와 민주당 후보(김성환)의 표를 합산할 경우 한나라당 후보의 득표수를 넘어선다.

전반적으로 여당후보가 앞선 가운데 상계8동, 9동은 진보신당(노회찬) 후보가 앞선다. 노회찬 후보의 득표력을 엿볼 수 있는 선거였다. 반면 민주당 후보는 제1야당(원내 제1당) 프리미엄에도 불구하고 큰 차이로 3위를 차지하는 데 그친다.

■ 노원(병) 유권자의 특징은 특정 정당에 고정되지 않고 야권의 강한 결속력을 지닌 후보에게 표를 집중해주거나 인물·능력이 앞서는 여권 후보도 지지한다.

18대 총선(비례)

모든 야당이 표시되는 비례투표이므로 여당(한나라당) 이 전 지역에서 앞섰지만 50% 이상 득표율을 보인 곳은 한 곳도 없다. 지역구 선거에서 선전한 진보신당(노회찬) 후보의 득표율에 비해 진보신당의 비례 득표율은 저조하다. 이는 노원(병) 유권자들이 진보신당이라는 정당의 후보보다는 '노회찬이라는 정치 캐릭터'에게 후한 점수를 주었다고 할 수 있다.

반면 민주당은 지역구보다 비례에서 10% 가까이 더 많은 득표율을 보인다. 제1야당인 민주당 후보라도 인물과 후보 능력에 대해 충분히 만족하지 못할 경우 언제든 표심을 바꿀 수 있다는 것을 보여준다.

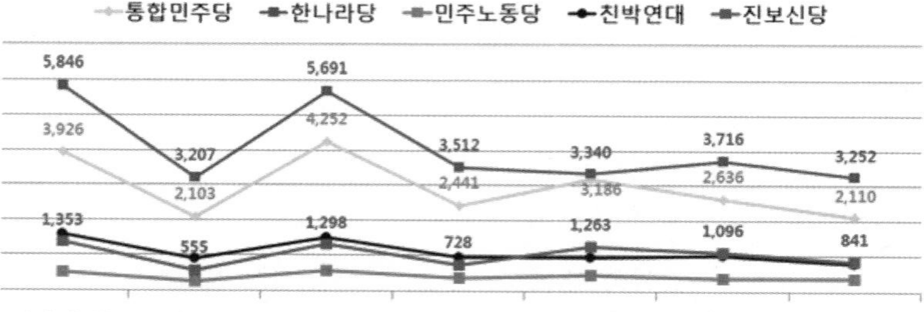

Note

공개된 중앙선관위 자료를 바탕으로 4~5년 내에 있었던 주요 선거들을 읍·면·동별로 나누어서 파악한 것이다. 필자는 이 책의 독자들이 직접 선거를 준비하는 입장이라면 이보다 더 구체적인 표를 준비하도록 제안한다.

각 읍·면·동별로 투표소가 적게는 3개에서 많게는 8개 이상까지 나뉘어져 있는데 이러한 투표소별로 세분화하여 결과를 정리한 자료가 필요할 것이다. 이런 자료는 선거 조직 활동을 위해 특히 필요하다.

필자는 노원(병)의 경우, 투표소까지 분류하지 않고 동별 분류만 해놓았다. 이 정도만 하더라도 각 동별로 정치 성향을 알아보는 데는 충분하기도 하지만 동별로 각 투표소 단위까지 조사를 하는 것은 해당 선거 캠프에서 할 일이라고 생각하였기 때문이다. 그러므로 실제로 현장에서 활동하는 선거 캠프에서는 반드시 각 투표소별로 분류하여 정리할 것을 권고한다.

읍·면·동별로 분류된 선거 결과를 보면, 앞에서 알아본 선거구 내 인구의 성향이나 가구·주택별 현황 등의 자료를 바탕으로 분석한 결과가 맞아떨어지는 것을 확인할 수 있다.

'최근 선거 심층 분석'에는 투표수를 표시하는 것이 중요하다. 어느 지역에서 얼마나 많은 표를 목표로 하고, 몇 표 정도를 포기해야 할지 등을 구체적 수치로 계산하기 위해서다. 또한 전국 선거일 경우, 기본적으로 전국적인 선거 구도와 대비해서 살펴보아야 한다.

그러다보면 각 읍·면·동별로 중도층의 분포를 헤아려 볼 수 있고 선거구 내의 유권자들이 정당 투표에 몰리는지, 출마 후보의 인물·능력 등에 중점을 두는지, 그리고 군소정당에 고정된 표가 얼마나 되는지 등을 찾아낼 수 있다.

예를 들어 노원(병)의 경우를 보면 새누리당에 대한 견고한 고정표가 득표율 기준으로 최소 35%에서 40% 수준까지 분포함을 알 수 있고, 이 지역 유권자들은 야권이 단일화했을 경우 단일 후보에 대한 표의 결집성이 다른 지역에 비해 매우 강하다는 것을 엿볼 수 있다.

또한 새누리당 후보일지라도 출마 후보의 인물·능력에 따라 새누리당 고정표의 최대치인 40%를 넘어선 득표율을 보여주기도 하였다. 이렇듯 기본 자료를 그냥 보고 막연하게 계산하기보다 유권자들의 표심을 잘 해석하고 분석하는 것도 잊지 말아야 한다.

'최근 선거 심층 분석'요약과 평가

노원(병) 유권자들의 성향은 해당 선거 구도와 출마 인물, 단일화 이슈 등에 의해 한 곳으로 집중해 표를 결집시킨다.

대체적으로 상계1동과 8동은 야권 지지 성향이 더욱 강하다. 상계8동에서 야권 후보는 여권 후보보다 3천 표 이상을 이기고 상계1동, 9동 등에서 2천 표 이상 더 얻을 수 있다.

■ 노원(병) 유권자는 인물 또는 야권단일화 후보에게 확실하게 표를 몰아준다.

현재 구도로 볼 때 야권 단일화를 하지 않아도 아직은 다소 안철수 후보에게 유리하게 작용될 소지는 있다. 한때 유력 대권주자였던 만큼 인물·능력에는 뒤지지 않기 때문이다.

그러나 진보당 계열의 후보자 두 명이 얼마나 선전하느냐, 여당 후보가 얼마나 표를 결집하느냐에 따라 어려운 선거가 될 소지도 충분하다.

노원(병)은 기본적으로 야권 지지 표가 많이 나오는 곳이다. 민주당+진보정당 표를 합산할 경우나 야권 단일후보일 경우 55% 이상 득표율을 보여준다.

그러나 단일화가 되지 않은 구도에서 야권의 표 갈림으로 여당에 유리한 선거가 전개되는 경우도 있다. 민주당 후보든, 진보당 후보든 각각 기본적으로 최소 15% 정도의 득표율 보인다.

재·보궐선거일 경우, 확실히 투표율이 평균 이상으로 올라가지 못한다. 노원(병) 지역의 유권자 생활 특성상 재·보궐선거에서는 결집된 표가 많이 나와야 하는 곳에서 표가 전부 나오지 못할 수도 있다.

유권자 의식조사

우리나라 유권자들은 도대체 어떤 생각을 가지고 투표를 할까?
우리나라 유권자들은 후보를 선택하기까지 어떤 고민을 할까?
우리나라 유권자들은 후보의 어떤 점을 보고 지지를 결정할까?
우리나라 유권자들이 지지 후보를 결정하는 시기는 언제일까?

후보자나 선거 캠프에서 유권자에 대해 알고 싶어 하는 것은 당연지사다. 유권자들의 마음을 읽지 못하면 선거에서 승리하기가 어렵기 때문이다.

선관위에서 발간하는 '유권자 의식조사'보고서를 일일이 다 읽어보기는 힘들겠지만, 후보자든 선거 캠프든 직접 선거를 치르는 입장이라면 천천히 꼼꼼하게 다 읽어보기를 권한다. 보고서 하나하나마다 수백 페이지씩 되기도 하므로 각 보고서의 주요 내용만

간추려서 정리를 해놓은 것으로, 여러 개의 보고서 내용을 10여 페이지로 요약하였다.

후보 선택 시 고려사항

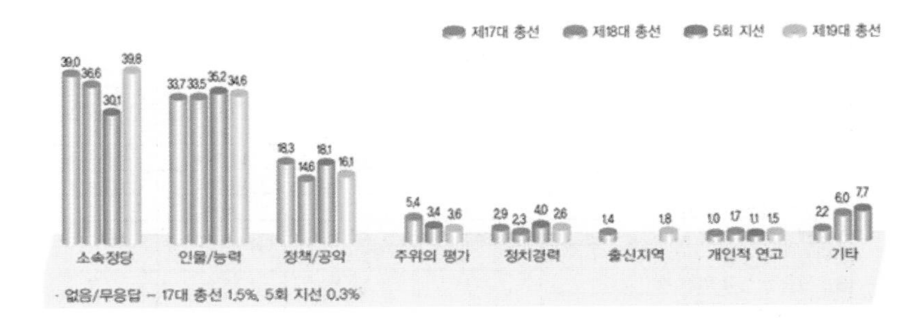

아직도 소속 정당이 후보 선택의 절대적인 조건이라는 것을 보여준다. 19대 총선의 경우 정책·공약 부분은 5회 지방선거에 비해 줄어들었다.

19대 총선이 김용민 막말, 일부 후보들의 자격 시비 등으로 선거의 이슈가 폭로와 네거티브 양상으로 진행된 결과다.

투표하지 않은 이유

개인적인 일, 출근 등의 이유가 예전과 마찬가지로 1위지만 분포율이 최근에 늘어났다. 선거보다도 개인적 일을 더 중요하게 여기는 정치 무관심 풍토가 만연한 결과다. 투표일에도 쉬지 않는 사업장(비교적 소규모 사업장) 이 아직 많다는 것을 알 수 있다. 그런 반면 정치인에 대한 불신은 17대 총선 이후 지속적으로 분포도가 낮아지고 있다.

※재·보궐선거가 휴일이 아니기 때문에 1시간 이상 이동하는 통근·통학 인구(특히20~40대 유권자) 가 비교적 많은 노원(병) 이 우리에게 매우 불리한 상황임을 보여주는 자료들

	19대 총선	5회 지방선거	18대 총선	17대 총선
개인적인 일/출근 등	39.4 %	36.6 %	27.8 %	37.7 %
정치/선거에 관심 없음	20.4 %	28.1 %	20.1 %	12.3 %
투표해도 바뀌는 것 없어서	14.0 %	6.8 %	7.9 %	X
찍고 싶은 후보 없음	8.7 %	8.4 %	18.5 %	16.5 %
정치인 불신	7.0 %	9.8 %	14.0 %	20.6 %
주소지와 멀리서 생활	3.4 %	1.9 %	1.9 %	X
투표해도 당락 영향 없어서	1.9 %	1.9 %	2.1 %	6.0 %
혼탁선거에 실망	1.3 %	1.0 %	0.9 %	X
흥미끌만한 정책 이슈 부재	1.3 %	1.9 %	3.5 %	X
기상 등 날씨가 않좋아서	1.2 %	X	2.8 %	X
부재자신고 번거러워서	1.0 %	0.2 %	0.1 %	X
기타	0.3 %	3.4 %	0.3 %	6.0 %
무응답	0.1 %	X	X	0.9 %

후보 선택 시 고려사항2

※2010 제5회 지방선거에서 실제 투표를 한 유권자들을 대상으로 한 질문 내용; "OOO 님께서는 지지 후보자를 선택할 때 어떤 점을 가장 많이 고려하였습니까?"에 대한 답변의 결과다.

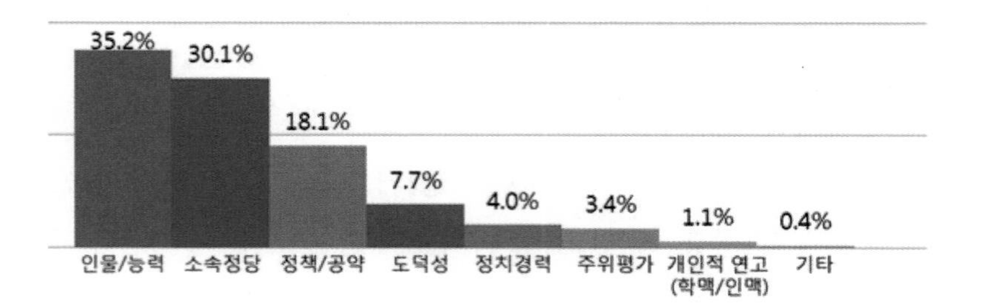

인물·능력을 고려한다는 응답은 특히 40대와 60세 이상이 많다(각 38%). 특히 군 지역(47.7%) 과 월 소득 200만 원대(40.1%), 자영업(39.6%) 계층에서 많다. 소속 정당을 고려한 경우는 여성(34.1%), 20대와 50대(각각 33.3%), 주부(34.6%), 학생(36.4%) 유권자에서 많다.

연령대별 후보 선택 시 고려사항(2010. 6. 2 지방선거 투표 전 조사 자료)

(단위 : %)		인물/능력	정책/공약	소속정당	주위평가	정치경력
전체		33.3%	29.3%	14.6%	7.1%	3.7%
연령대	20대 이하	21.3%	40.7%	15.9%	7.8%	3.5%
	30대	25.8%	38.7%	16.8%	7.2%	0.9%
	40대	37.4%	27.5%	14.5%	8.2%	2.4%
	50대 이상	41.7%	18.4%	12.5%	5.9%	6.2%
		연령대가 높을수록 점점 높아짐	연령대가 낮을수록 점점 높아짐			

젊을수록 정책·공약 비중, 나이가 들수록 인물·능력 비중이 높다.

앞부분은 투표 후 설문이고, 현재의 설문은 투표 전 조사다. 실제 투표를 할 때는 많은 수가 정책·공약보다 소속 정당에 중점을 둔 선택으로 선회한 것으로 보인다. 이는 유권자가 이성적 판단으론(이론적으론) 정책·공약을 우선시하고 있으나 실제 투표에서는 정당을 기준으로 선택하였음을 보여준다. 이런 경향은 지난 6·2 지방선거가 천안함 사건, 당시 MB정부의 실정 등에 대한 평가로 이어진 선거라는 점과 연관된다고 할 수 있다.

■ '유권자는 누군가를 지지하기보다, 다른 누구를 반대하기 위해 투표하는 경향이 크다.'

후보 선택 고려요인

내용	5회 지방선거 (2010)(투표 후)	5회 지방선거 투표 전 조사	18대 총선(2008)	4회 지방선거 (2006)	3회 지방선거 (2002)
인물/능력	35.2%	30.0%	33.5%	35.2%	42.3%
소속정당	30.1%	15.2%	36.6%	37.8%	26.4%
정책/공약	18.1%	32.8%	14.6%	11.5%	12.2%
도덕성	7.7%	%	6.0%	%	%
정치경력	4.0%	5.8%	2.3%	3.3%	4.5%
주위 평가	3.4%	7.3%	5.4%	8.1%	7.2%
개인적 연고	1.1%	0.8%	1.7%	2.2%	1.3%
출신지역	%	0.6%	%	1.9%	1.9%
기타(없다)	0.4%	1.6%	%	%	%

소속 정당을 고려한 경우는 4회 지방선거부터 감소 추세이고, 정책·공약의 경우는 반대로 증가 추세다. 매니페스토 운동의 효과와 MB의 공약 백지화에 따른 반감의 영향으로 보인다.

5회 지방선거 투표 전과 투표 후의 차이를 보면 '소속정당'과 '정책·공약'의 기준이 뒤바뀐다. 당시 투표일이 임박해서 천암함 사건, 정부 여당에 대한 반감 누적 등으로 유권자의 선택 변화가 일어난다.

■ '선거에서 중요한 것은, 정책이 아니라 이슈다!'

지지 후보 결정 시기

	19대 총선	18대 총선	17대 총선
투표 당일	6.5 %	10.2 %	10.7 %
투표일 1~3일 전	13.6 %	15.5 %	16.6 %
투표일 1주일 전	**19.2 %**	**21.5 %**	**20.4 %**
투표일 2주일 전	11.9 %	11.8 %	15.1 %
투표일 3주일 전	9.1 %	8.9 %	14.1 %
투표일 3주 이상	**39.7 %**	**32.2 %**	**23.1 %**

유권자들은 언제 지지 후보를 결정할까?

투표일 3주 이상 전에 지지 후보를 결정한 유권자는 연령이 높을수록 많다. 특히 200만 원 이하 소득층, 자영업자, 중졸 이하 계층에서 상대적으로 높다.

유권자의 약 30%는 본격 선거전 돌입과 함께 이미 후보를 정한 상태다. 수치상 여론조사 발표 마감 시한인 투표 1주일 전까지도 50%가 넘는 유권자가 부동층으로 나타난다. 그러나 19대 총선에서는 부동층이 40% 수준으로 낮아진 대신, 3주 이상 전에 확정한 경우가 높은 것으로 나타난다. 대체로 전체 유권자의 40~45%는 투표 1주일 전부터 바로 전날 사이에 후보를 결정한다.

- '부동층 유권자의 표심은 마지막 주말에 결정된다!'
- '마지막 2번의 주말 선거 유세에 총력을 기울여라!'

후보 인지 경로

2010 제5회 지방선거에서 실제 투표를 한 유권자들을 대상으

로 질문한 결과다. "OOO 님께서는 후보자를 아는 데 가장 도움이 된 것은 무엇이었습니까?"라는 질문으로 광역단체장 후보와 기초단체장 후보의 경우로 나누어 조사했다.

광역단체장 후보에 대해 TV·신문 등 언론 보도가 도움이 된 경우는 30대(31.8%), 서울(30.6%), 경기(40.1%), 중소도시(31.1%), 대졸 이상 학력(30.2%), 화이트칼라(29.2%) 계층에서 상대적으로 높다.

TV토론과 방송연설의 경우는 40대(30.5%), 서울(30.6%), 군 지역(29.5%), 화이트칼라(30.9%) 계층에서 상대적으로 높다.

기초단체장 후보에 대해 선거 홍보물이 도움이 된 경우는 20대 이하, 광역시, 대졸 이상 학력, 월 소득 400만 원 이상, 블루칼라 계층이 상대적으로 높다.

주변인과의 대화가 도움이 된 경우는 60세 이상, 경기·충남, 군 지역, 중졸 이하 학력, 월 200만 원 미만 소득층에서 상대적으로 높다.

광역단체장에 대해

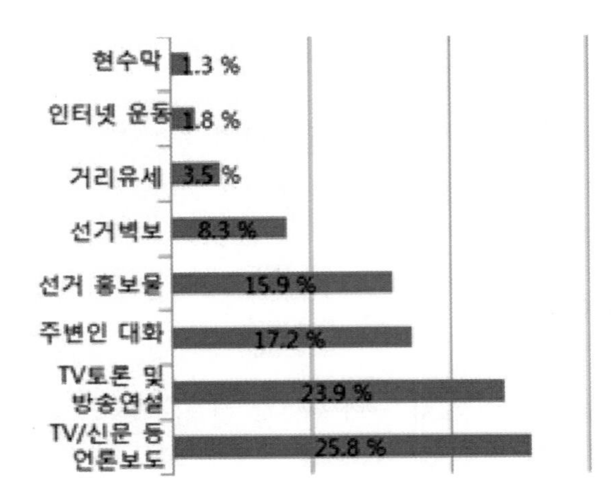

기초단체장에 대해

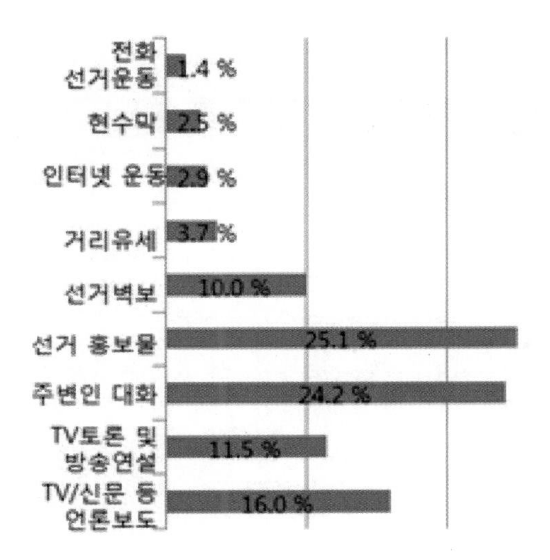

광역단체장 후보는 지역별 소규모 유세가 어려운 사정으로 인해 유권자가 후보를 알 수 있는 방법은 주로 매스컴을 통한 방법이 많다. 매스컴이 정치 구도에 미치는 영향이 크기 때문에 이른바 공중전空中戰의 필요성이 높다.

반면 기초단체장은 유권자와 접촉할 기회가 비교적 많고 소지역에 선거운동을 집중할 수 있는 점 때문에 주변인과의 대화(구전홍보)에 비중을 둘 필요가 있다. 광역단체장에 비해 상대적으로 TV·신문 등 언론에 노출되는 빈도가 낮기도 하다.

- '국회의원 선거는 광역단체장·기초단체장 선거에서 효과가 높았던 방법들이 모두 필요하다.'

19대 총선 유권자 조사 중 후보자 인지도에 도움이 된 경로 조사

(단위 : %)

	19대 총선	18대 총선	17대 총선
가족·친구·이웃과의 대화	28.9	26.5	3.8
언론 매체의 보도	23.6	27.7	20.0
TV대담·토론회 및 방송연설	19.2	24.6	46.6
정당·후보자의 각종 홍보물	14.1	11.3	11.5
선전벽보 및 선거공보	4.8	2.9	9.8
후보자등의 거리연설·대담	4.3	4.5	2.1
현수막	1.8	0.1	–
정당·후보자의 인터넷 선거운동	1.2	1.5	5.0
SNS를 통한 정보	1.0	–	–
선관위 홈페이지	1.0	0.9	–
전화선거운동	–	–	0.1
후보자 정보공개자료 및 정치포탈사이트	–	–	1.0
무응답	0.1	–	0.1

18대 총선 유권자 조사 중 후보자 인지도에 도움이 된 경로 조사

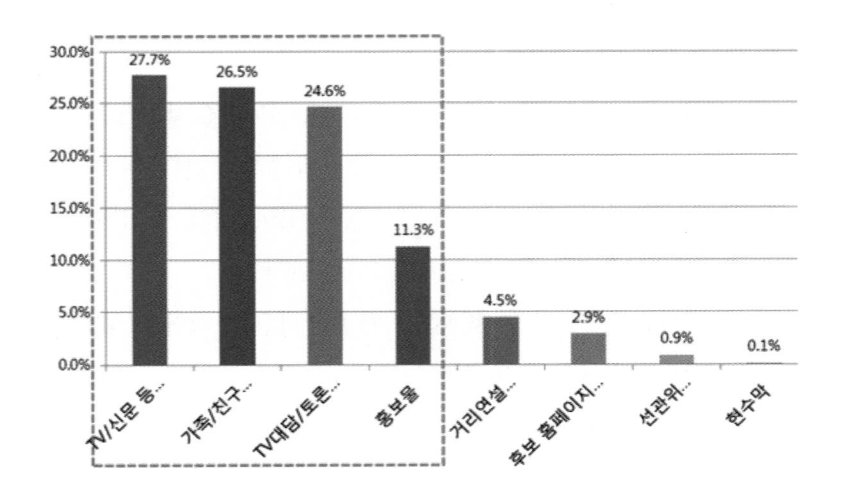

2010 지방선거 광역 · 기초단체장의 경우와 18대, 19대 총선 비교

	19대 총선	2010 광역단체장	2010 기초단체장	18대 총선
TV/신문 등 언론보도	**23.6 %**	**25.8 %**	16.0 %	**27.7 %**
TV토론 및 방송연설	19.2 %	**23.9 %**	11.5 %	**24.6 %**
주변인과 대화	**28.9 %**	17.2 %	**24.2 %**	**26.5 %**
홍보물	14.1 %	15.7 %	**25.1 %**	11.3 %

언론보도에 의한 경로가 광역단체장과 총선의 경우는 높은 반면 기초단체장은 비교적 낮은 편이다. 총선의 경우 정치적 상징성과 영향력은 광역단체장 급이라는 뜻으로 풀이된다.

기초단체장의 경우에 응답 비율이 높은 '주변인과의 대화'는 총선 때도 똑같이 높다. 왜 이런 결과가 나타날까? 총선은 정치적 상징성이 광역단체장 급이기는 하지만 그러면서도 지역일꾼을 뽑는다는 의미도 있기 때문에 지역적 선거 방법이 유효한 모습을 보인다. 선거 조직에 의한 구전 활동이 선거 홍보에 큰 영향이 미치는 것으로 확인되었다.

■ '국회의원 선거는 정치적 상징과 지역적 특징을 모두 가지고 있다!'

Note

〈19대 총선 유권자 의식조사〉, 〈18대 총선 유권자 조사〉, 〈17대 대선 유권자 의식조사〉, 〈제5회 전국 지방선거 유권자 조사〉, 〈17대 총선 유권자조사〉 등 중앙선관위의 자료를 참고하였다.

이 자료들은 선거관리위원회에서 전국적인 선거가 치러진 후에, 전국의 유권자를 대상으로 3차례 이상 여론조사와 대면조사 등을 실시하여 나온 결과를 자료집으로 만들어 공개한 것들이다. 그 결과는 〈OO선거 유권자 의식조사〉라는 자료집으로 인터넷에 공개되어 있다.

필자는 이러한 자료집들 중에서 17, 18, 19대 총선과 2010년 전국 지방선거, 17대 대선을 대상으로 한 5권의 유권자 의식조사 자료집을 참고로 다시 각색하여 나름의 데이터를 만들었다.

18대 대선의 경우는 선거가 끝난 지 얼마 되지 않아 아직 자료집이 발간되지 않았지만, 선거관리위원회의 자료집은 노원(병) 선거구가 아니더라도 선거에 관심이 있거나 관여하는 모든 사람들이 공통으로 참고할 만한 내용이라고 할 수 있다.

특히 참고하여 도움이 될 만한 사항은 후보 결정 시기에 대한 조사다. 선거판에서 흔히 들을 수 있는 말로, **'투표를 앞둔 두 번의 주말에 총력을 기울이라!'**는 말이 있다. 이를 뒷받침해주는 자료를 바로 여기서 볼 수 있다.

투표를 앞둔 1주일 전까지도 실제로 투표를 하였던 유권자의 40%에서 많게는 47%가 어느 후보를 선택할지 결정하지 않았다는 것이다. 또한 투표 3주 전까지도 후보를 미리 결정한 경우는 40%가 되지 않는다는 점이다.

이를 단순하게 표현하자면 실제 투표하는 사람의 최소한 60%가 부동층이라는 것이다. 비록 보수, 진보, 중도 성향 등 각 유권자의 정치 성향은 개별적으로 분류가 되어 있다고 하더라도 유권자 스스로가 행사하게 될 1표를 이념적 성향에 따라 쉽게 결정하지는 않는다는 뜻이다.

바로 이 점이 우리가 선거에서 행해야 할 온갖 종류의 전략과 전술(심지어는 네거티브 공격까지) 이 필요한 이유다. 투표를 반드시 하게 될 60% 이상의 부동층 유권자들의 투표 행사를, 얼마나 우리에게 유리한 방향으로 유도하느냐에 대한 노력과 실행이 바로 선거 기획이고 진행인 것이다.

후보자 인지도에 도움이 된 경로를 하나만 더 언급하겠다.

17대 총선에서 19대 총선으로 올수록(최근의 선거에 가까울수록) '가족·친구·이웃과의 대화'가 후보를 알고 선택하는 매우 중요한 경로가 된다는 점이다. 이런 경향은 국회의원 선거나 기초단체장급 선거에서 (선거) 조직을 통한 구전 홍보가 얼마나 중요한지 새삼 확인시켜 주는 부분이다.

반면에 TV 대담, 토론회와 방송연설 등의 영향력은 점점 줄어들고 있다. 이는 유권자들이 텔레비전 방송을 통해 꾸며진 후보의 모습보다는 후보자에 대한 주변 사람들의 인식에 동조하는 것을 더 공감하고 확신한다는 뜻이다.

예를 들어 나와 가까운 사람이 "누구는 어떻다던데?" "아무개는 이래서 좋아." "걔는 그래서 되겠어?"하는 등등의 이야기에 쉽게 동조하고 그러한 정보를 좀 더 신뢰하고 있다는 것이다. 조직과 구전 활동이 얼마나 중요한지에 대하여 이보다 더 확실한 자료가 있을까?

▶ 광역단체장의 경우, 위와는 조금 다른 결과를 보인다. 당연한 일이다. 지역적으로도 광범위하고 훨씬 많은 유권자를 대상으로 하는 광역단체장 선거는, TV나 언론 매체를 통한 홍보에 중점을 두어야 한다. 광역단체장급 선거에서 선거 운동기간에 후보가 유권자를 만나봐야 얼마나 만나겠는가? 지역 유세를 위해 찾아가 봐야 그 넓은 지역(광역)의 모든 곳을 다 찾아갈 수 있겠는가? 유권자와 후보(선거 조직 포함) 가 직접 대면하는 데는 아무래도 한계가 있게 마련이다.
그러나 기초단체장급 이하의 선거는 다르다. 광역단체장급 선거에 비하여 지역이 좁고 유권자의 수가 적기 때문에 (선거) 조직과 후보자가 유권자들과 직접·간접으로 접촉하기가 수월하므로 후보자의 동선과 (선거) 조직의 활동이 매우 중요하다. 그러므로 기초단체장급이나 그보다 작은 규모의 선거는 선거 사무실의 내부 인원을 효율적으로 활용해야 한다.
기획이나 홍보, 온라인, 공보 등의 업무는 경험자 위주로 3~4명이 감당하고, 나머지 인원은 가능하면 조직 활동을 위한 인원으로 편성하는 것이 중요한 관건이다.

'유권자 의식조사'의 정리와 평가

유권자들이 후보를 선택하는 기준은 변함없이 '인물·능력'과 '소속 정당'이 절대적이다. 정책·공약은 과거에 비해 높아지고 있으나, 투표일 다가오면서 결국 다수가 '소속정당'이라는 기준으로 회귀(이러한 선회는 선거 당시의 이슈와 정부여당 심판론이 강하게 작용한다는 것을 암시) 한다.

전국 선거는 결국 여야의 인기도, 정부의 정책 성공 또는 실정失政에 따라 유권자의 표심이 요동하는 등 전반적 정치 구도에 큰 영향을 미칠 수밖에 없다.

후보를 선택할 때의 고려 사항으로는 나이가 많을수록 인물·능력에 중점을 두고, 나이가 젊을수록 정책·공약에 중점을 둔다. 세대 간의 의식 차이로 볼 수 있다.

총선은 정치적 의미의 광역단체장 선거, 지역적 의미의 기초단체장 선거라는 두 가지 의미를 모두 포함하고 있으므로 구도 싸움과 지역적 이슈 등 두 가지 모두에 대비하고 진행하여야 한다.

유권자 절반 이상이 투표일 7일 전까지 후보 선택을 하지 않는 부동층이다.

이들은 투표 7일(일주일) 전을 전후로 선택하는 경우가 많다. 이른바 마지막 주말에 총력을 기울여야 하는 이유다.

후보 컨셉**Concept**을 '인물·능력'으로 판단하는 계층에 맞도록 설정하는 것이 유리하다. '인물·능력'을 고려한 선택은, 나이가 많을수록, 자영업, 월 소득 200만 원 대 서민층에서 높은 비율로 선호한다. 이른바 지식인, 고소득자, 고학력자들에게 통할만한 인물·능력 컨셉이 아니라 서민층, 어르신들, 자영업자들이 좋아할만한 컨셉의 '인물·능력'꾸미기(설정) 이 필요하다.

※'너무 완벽한 사람으로 보이지 마라!'

유권자들이 좋아하고 필요로 하는 후보는 유권자를 잘 설득하는 후보가 아니라, 유권자들의 말에 귀를 기울이는 후보다.

전략 수립을 위한 기본 조사와 분석, 선거구 내의 각종 이슈와 정치 구도, 출마자에 대한 분석 등을 알아보고, 이를 통해 출마자의 기본 컨셉, 선거전략, 후보자 포지셔닝 등을 정해본다.

'정치는 현실을 다루고, 선거는 (유권자의) 인식을 다루어야 한다.'

——선거는 인식의 싸움; 유권자에게 어떤 인식을 주느냐?

'전략이란, 어떤 것이 중요한지 결정하고 무엇에 집중할지 정하는 것!'

제3장

전략

기본 조사, 분석, 운영 방법

기본 전략 세우기

제1장과 제2장에서는 공개된 자료를 조사하고 분석함으로써 어느 정도 선거구에 대한 기초 조사를 마쳤다. 이제부터는 공개된 자료에 의한 분석이 아니라 캠프의 정보력을 활용하여 얻은 내용을 정리하고 분석해본다. 그리고 선거를 앞두고 선거 캠프가 끌고 나가야 할 선거의 기조까지도 설정한다.
다시 말해 관공서 등에서 얻은 자료에 의한 조사는 1장과 2장에서 다루었고 이번 3장부터는 상대 후보와 우리 후보, 전국적인 선거구도와 지역적 선거구도, 이슈 등을 가능한 객관적으로 정리한다. 그런 후에 1장과 2장의 내용까지 적용하여 우리 후보의 적절한 컨셉과 선거 기조까지 정해본다.

기본 조사, 분석, 운영 방법

선거에 들어가기 전에 우리 후보자에 대한 조사와 선거에 임하는 준비 자세, 그동안 조사해온 상대 후보자들에 대한 내용을 정리한다. 전쟁을 치르기 전에, 우리와 상대의 전력을 검토하면서 앞으로 세우게 될 전략의 기초가 되어줄 것이다.

준비는 되었는가?

후보자나 참모, 캠프의 구성원 모두에게 해당하는 말이다. 시작이 반이라고 하지만, 전쟁을 치를 준비가 되어야 비로소 시작할 수 있다. 시작은 우리 내부에서부터 철저한 정신무장을 필요로 한다는 말이다.

선거에서 지도자(후보) 와 핵심 참모가 해야 할 가장 중요한 판단은, 함께 시작하려는 선거의 성격을 설정하는 일이다. 캠프의 구성원들이 선거를 왜 치르는지도 모른다면, 무슨 소명을 갖고 움직이겠는가?

후보자의 출마선언문에 선거의 성격을 충분히 담아내고 캠프 구성원들에게 선언문을 충분히 숙지시켜야 한다.

"캠프의 구성원들이 사력을 다해 싸우고 있는가?"

이것은 중요한 질문이다. 만약 그렇지 않다면 그들에게 선거의 성격을 제대로 알리지 못한 지도부의 무능이거나, 캠프의 구성원들이 딴 생각 때문에 와 있다고 봐야 하기 때문이다.

전력을 한 곳에 집중해야 한다.

실무 운영에 있어 필요 이상의 부서를 두고 인원을 분산하는 것은 스스로 우리의 전력을 분산시키는 결과를 초래할 수 있다. 결정적 시기에 최대한의 전력을 투입할 수 있어야 한다. "전쟁에서 가장 중요한 전술은 공격이든, 방어든 항상 적군보다 많은 병력을 집중시키는 것이 중요하다."-나폴레옹.

총선 규모의 지역 선거에서는 경험 있는 요원 3~4명이면 기획, 홍보, 공보물 제작, 공보, 온라인 등 사무실 업무를 충분히 운영하고도 남는다. 나머지 인원은 전부 바깥에 내보내라.

정치의 큰 그림은 지도자가 맡고, 실무 진행과 협상은 실무 팀이 맡는다. 악역은 실무 팀이 맡고, 일 끝난 후 웃으며 악수하는 역할은 후보가 맡는다. 단, 선거에서 톱다운 방식의 실무 처리는 금물이다(문제가 발생할 경우 후보가 전부 책임져야 할 수도 있기 때문이다).

협상이나 선거 업무에 있어 후보와 실무진은 각자 역할을 분담

하는 이원적 진행이 필요하자. 실무자는 당기고 후보는 풀어주는 방식; 실무 팀에 분명한 권한을 부여해야 한다.

'선거 사무실엔 표 없다. 필요 이상의 인원은 전부 현장에 내보내라!'

Note

선거의 성격을 설정하는 일의 정점은 바로 출마선언문에 있을 것이다. 잘 만들어진 출마선언문이면 여기에 후보자가 출마를 하고 당선되어야 할 당위성, 후보자의 캠프가 나아가야 할 전략적 선택, 앞으로 전개해야 할 선거 메시지나 구호·슬로건, 후보의 캐릭터나 컨셉·이미지 등이 함축되어 있을 것이다.

이런 정도의 출마선언문이라면 조직 활동 인원에 대한 교육 내용이나 공보물의 주요 내용, 또는 홍보기획의 핵심 내용 등이 출마선언문에 70% 정도는 이미 나와 있다고 할 수 있다. 그러한 것들은 잘 만들어진 출마선언문에서 조금씩 각색을 하거나 내용을 조금 덧붙이기만 하면 된다.

출마선언문 하나로 나를 지지하지 않았거나 부동층이었던 유권자를 움직일 수 있어야 한다. 출마선언문은 내가 출마해야 할 이유, 유권자가 나를 선택해야 할 이유까지도 함축되어 있어야 하기 때문이다.

출마선언문으로 유권자나 지지자들의 공감을 얻어낼 수 있다면, 더 이상의 논리적 고민거리는 잔가지에 불과하다고 할 수 있다.

사실에 기초한 전략을 세워라!

우리가 위치한 포지션(전략적 위치)은 어디인가?

그에 따라 우리는 어떠한 전략을 가져가야 할 것인가?

후보와 캠프의 포지션(전략적 위치)에 맞는 적절한 전략은 무엇인가?

사실에 기초한 전략을 세워야 한다는 것은 분명하다. 그러자면 "나의 위치, 내가 있는 곳은 어디인가?" "나는 누구와 싸우고 내가 점령할 고지(유권자)는 누구인가?"에 대한 인식이 필요하다.

경쟁 상대를 신중하게 분석하고, 상대의 강·약점을 정리하여 이용하며, 방어에 대한 예측을 바탕으로 준비한다. 선거 판도에 따른 전략적 선택이 필요하다. 1위(후보)는 방어적 전술, 2위(후보)는 공격적 선거 전술, 3위(후보)는 측면 공격 전술을 활용하고, 3위권 아래의 군소 후보는 게릴라 전술이 필요하다.

선거 전략과 전술의 특성은 유권자에게 봉사하는 것이 아니라 경쟁자의 허점을 찌르고 약점을 공격하여 이기는 것이다. 선거는 전쟁이고 상대 후보는 적이며 유권자는 점령해야 할 고지인 셈이다. 선거는 한 마디로 유권자를 확보하기 위해 상대후보(적) 와 치열하게 다투는 전쟁판이다.

(우리는) 1위 후보로서 방어적 전술을 사용한다. 효과적인 방어는 1위 후보의 지지율을 보호한다는 명백한 목표로 인하여 오히려 공격적인 성격을 띤다. 다시 말해 공격보다 더 공격적인 성격을 지닌다.

'선거 기획은 선거판에서 이기기 위해 사용하는 전략이자 전술이다!'

방어적 전략(1위 후보의 선거 운영 전략)

진실을 담아라!

현실 상황을 냉철하게 이해하고 진실에 기초하여 캠프 구성원들을 이끌어야 한다. 적을 속이되 자신을 속여선 안 된다.

스스로를 공격해야 한다.

자기 자신을 공격해야 한다는 말이다. 1위 후보의 가장 강력한 적(라이벌)은 1위 후보 자신이기 때문이다. 자신의 한계를 넘으려 시도하고 또 넘어서야 한다. 설사 추격자들이 나를 넘어서더라도 그것은 예전에 '나'이지 이미 나를 넘어선 현재의 '나'는 아니다.

경쟁자의 공격을 저지해야 한다.

사전에 대비하고 예비 전력을 구축한다. 상대로부터 공격을 받았을 때 즉시 응대는 금물(실수 유발) 이다. 타이밍을 두고 제대로 분비하여 반격을 해야 한다.

적으로부터의 집중 공격에 대비해 전력을 비축한다(1위 후보만의 장점). (상대방이 공격할 경우) 전선을 확대하여 적의 전력을 분산시킨다. 미리 조사해둔 상대방의 약점을 공략하든가, 상대가 예상치 못한 콘텐츠(공약 등) 로 이슈를 전환한다.

1위 후보의 주된 전략적 공략 포인트는 시장(계층별 지지세)을 확대하는 것이다. 1위 후보는 2~3위 후보에게 자비를 베풀지 말아야 한다. 선거에서 상대에게 자비를 베푸는 것은 자살행위다. 경쟁자들에게 쉴 틈을 주지 말고 새로운 것으로 계속 앞서 나가야 한다.

선거 논란의 중심은 항상 1위 후보자가 되어야 한다. 2~3위 간의 각축이 이슈가 되도록 내버려두지 마라. 3위 후보에게 공격받는 1위가 낫다. 3위 후보가 2위 후보를 공격하도록 방관하지 말라는 것이다.

Note

우선 기본적 구도나 여론조사 등을 통하여 각 선거구마다 후보들이 차지한 순위가 형성되어 있을 것이다. 여기서 각 캠프는 1위 후보나 2위 후보, 3위 후보, 기타 순위 후보에 맞는 운영전략을 사용하여야 한다. 아무리 선거에서 1등 이외에는 의미가 없다고는 하지만 3위, 4위 후보가 1위 후보나 해야 할 선거 운영을 한다면 효과적이라고 하기 어렵다.

그렇다면 후보와 캠프가 처한 포지션(전략적 위치)에 맞는 적절한 전략은 무엇일까? 앞에서는 주로 1위 후보에 대한 안내만 되어 있다. 만약 2위 후보이거나 3위 후보, 또는 군소 후보일 경우는 어떻게 해야 할까?

Ⓐ 2위 후보라면 공격적으로 선거를 운영해야 한다. 공격적 운영은 적의 약점부터 찾아야 한다. 강점 속에 약점이 있으니

까 그것을 알아내라는 것이다. 전선을 확대하지 말고 집중 공격을 하는 것이 효과적이다. 일명 한 곳만 파기 또는 한 놈만 패기라고 할 수 있다.

- 3위 후보라면 측면으로 공략하는 것이 효과적이다. 틈새를 찾아서 그곳을 공략하라는 말이다. 상대가 약한 것만이 틈새가 아니다. 상대의 강점 부분을 역으로 공격할 수도 있다. 예를 들어 앞선 후보가 좌파일 경우 오히려 상대보다 획기적인 복지 공약으로 승부를 건다.
  기습공격을 하여야 한다. 다시 말해 상대가 대비하지 못할 만한 이슈를 만들어 논의를 주도하면서 구도를 3자 구도로 전환시킨다. 쉬지 말고 계속 추격세를 유지해야 한다. 앞선 상대가 무서워하는 것은 공격보다도 추격당하는 것이다. 남이 감히 하지 못하는 것(설마 할까 싶은 것)을 과감하게 해야 한다.

- 3위아래 후보라면 게릴라 전술을 써야 한다. 작은 개천에서라도 주인이 되어야 한다. 다시 말해 우리가 방어하기에 충분한 세분화된 지지층(공략 지점)을 찾아내야 한다. 분포도가 많은 지지층(지점)에서 많이 얻으려 하지 말고 적은 지점에서 상대가 나보다 많이 확보하지 못하게 하는 것이다. 전체적인 판에서는 뒤지더라도 특정한 몇 곳에서만큼은 우위를 차지한다. 그리고 선두주자처럼 행동하는 것은 금물이

다. 슬림**Slim**한 조직을 갖추어서 선거판도의 변화에 신속하게 대응할 수 있도록 하여야 한다.

게릴라 전략은 군소 후보가 전력이 월등히 우세한 상대와도 경쟁할 수 있는 방법이다. 플래쉬몹도 일종의 게릴라전이다. 확실한 성과와 조직력, 아이디어를 겸비하여 강렬한 인상을 줘야 한다. 다양한 선거 전략과 전술이 부족한 우리나라에서는 1위 후보도 플래쉬몹을 즐겨한다.

▶ 노원(병)에서 2위 후보는 상대의 약점을 잘못 찾았다. 1위 후보를 공략할 때 '철새'라는 표현을 사용했는데, 이는 1위 후보의 약점이 아니었기 때문이다. 서울이나 노원 지역의 유권자 대부분은 토박이 주민이 아니다.

▶ 대부분의 주민이 다른 곳에서 이주해 왔고, 심지어 2위 후보마저도 불과 몇 년 전에 강남 지역에서 출마했던 인물이다. 게다가 2위 후보는 야당이 정권을 잡았을 때 경찰청장을 지낸 사람이기도 하다. 도대체 어떤 서울 시민·노원 주민이 '철새'라는 공격을 이해해줬을지 의문이다. 더군다나 우리가 생각하는 정치권에서의 '철새'이미지는 자신의 필요에 의해 정당을 옮겨 다니는 정치인을 말하는데 노원(병)의 1위 후보는 정당을 옮긴 적도, 정당에 등록했던 적도 없었다.

▶ 노원(병)의 2위 후보는 그보다 50대 이상인 전통적 민주당 지지자들을 대상으로 민주당의 무공천에 대한 허탈감을 이용하는 공략을 했다면 더 좋은 결과를 얻을 수도 있었을 성싶

다. 왜냐하면 여당의 막강한 조직력을 바탕으로 조직을 통한 접근과 구전이 얼마든지 가능했기 때문이다.

▶ 그리고 '철새'라는 표현의 공격무기는 오히려 2위 후보인 자신에게 돌아올지도 모르는 부메랑이었다. 그리고 2위 후보는 1위 후보보다 지역구에 더 오래 있었지만 지역 공약에서도 그리 크게 부각된 호응을 얻지 못하였고 노원(병) 으로 온지 얼마 되지 않은 1위 후보의 공약과 정책에서도 약점을 찾아내지 못했다.

▶ 그 외에도 2위 후보는 더 이상 1위 후보에게 약점이 될 수 없는 내용을 가지고 부단한 네거티브로 일관했다. 네거티브도 적절한 공격 수단이기는 하나 이 방법만을 고수함으로써 유권자들에게 피로감을 주었다. 2위 후보로서 1위 후보가 하지 못하는 정말 필요한 자신만의 장점을 찾지도 못하였고 공략도 하지 못했던 것이다.

▶ 3위 후보는 1위 후보나 2위 후보를 겨냥하지 말고 다른 것(틈새)을 찾아서 그것을 넓혀야 한다. 바로 1위, 2위 후보가 하지 않거나 하지 못하는 새로운 이슈를 만들어 논의를 주도하는 것이다. 추격을 유지하되 무리하게 그들을 추월하려 하지 말고 이슈를 놓치지 않으면서 자신의 공간을 넓혀 나간다는 것이다.

▶ 예를 들어 지역적으로 민감한 내용이 있어 어느 출마자나 형식적인 답변을 내놓을 수밖에 없는 상황이라면, 노이즈 마케팅을 사용해서라도 확실한 자신의 입장을 내놓고 이 논쟁에

1위, 2위 후보를 끌어들이는 것이다. 그래서 선거 판도가 그 논쟁에 휩싸이게 된다면 성공이라고 할 수 있다. 그리고 그 논쟁에 당혹스러워 하는 1위 후보와 2위 후보를 계속 추격하듯 공격해야 한다.

▸ 1위, 2위 후보의 고정표는 어차피 3위에게 오지 않는다. 단지 모든 사람(유권자)의 관심을 나에게로 오도록 하고 1위, 2위의 고정표가 아닌 유권자(부동층)에게 관심을 받을 수 있도록 해야 한다는 것이다.

▸ 그 점에서 노원(병)의 3위 후보는 자신만의 이슈를 끌어내지 못했다. 삼성 X파일이 그 틈새로 보일 수도 있었겠으나, 이는 1위 후보가 이미 누차 언급하면서 희석되어 버렸다. 또한 3위 후보의 남편인 노회찬 전 의원은 야권 단일화의 수혜자이기도 하지만 야권 단일화를 하지 않아 야권 패배의 빌미를 주기도 했기 때문에 1위 후보의 단일화 무대응에도 3위 후보에게는 이슈가 되어주지 못했다.

▸ 그런 상태에서 노회찬 후보의 억울함만 호소하는 전략은 후보 본인과 노회찬 전 의원이 부부이기 때문에 출마했다는 인상만 더 심어주고 말아버렸다. 만약 '노회찬보다 더 똑똑한 노원의 야권 대표 후보'라는 컨셉이었다면 어땠을까?

선거구 내 출마 선언 · 출마 예정자

상대 후보에 대해 조사한 것을 1페이지 정도로 간략하게 정리하여 상대의 객관적 장단점 등을 파악한다.

이름	소속, 나이	약력, 출마 경력	특징	기타
김지선	진보정의당 만 58세	한국방송통신대 법학과 노회찬 전의원의 부인 전국여성노동조합 지도위원 출마 경험 없음	노회찬 전의원 의원직 말소로 진보정의당 후보로 당 내에서 이견 없이 공천 확정 선거 완주의사	지역구의 부부세습이라는 비난 부담
정태흥	통합진보당 만41세	고려대 법학과 졸업 19대 총선 성북갑 출마(야권단일화에서 패배) 18대 총선 성북갑 출마(3위) 17대 총선 비례대표(낙선)	18~19대 총선에서 출마한 성북갑 지역을 버리고 노원병 출마 전형적인 통진당 당권파	당선이나 야권단일화 등의 목적보다는 노원(병)지역에 통진당 조직 점검 및 강화를 위한 출마로 보임
허준영	새누리당 만 61세	고려대학 법학대학 졸업 전)경찰청장 코레일 사장 19대 총선 노원(병) 출마(2위)	19대 총선 낙마 뒤 지역구 관리 위주 활동 전형적 보수 스타일	새누리당에서 노원(병)은 버리는 카드?
이동섭	민주당 만 57세	고려대학교 대학원 정치학 석사 민주통합당 노원(병) 지구당 위원장 16대, 17대 총선 출마(낙선) 19대 총선에선 노회찬 후보와 단일화에서 패배	민주당의 무공천 방침으로 현재 반발 구 동교동계 민주당의 무공천 결정에 쉽게 물러나지는 않을 것(무소속 출마 강행 의사)	단일화에 준하는 협상을 통해 원활한 해결하여 이동섭과 민주당 조직의 흡수 절대 필요함

Note

출마 후보들의 기본 정보를 모아두는 것은 중요하다. 이러한 자료는 어디에 어떻게 사용될지 모르기 때문이다. 물론 각 선거 캠프는 이 책에 제시한 내용보다 더 많고 세밀한 자료를 준비하여야 한다. 그래야 상대의 장단점에 따라 우리가 공략해야 할 부분이나 상대를 공격할 수 있는 부분을 파악할 수 있기 때문이다.

설사 우리가 1등 후보라도 마찬가지이다. 상대가 따라오지 못할 부분을 우리가 찾아내서 앞서 나아갈 수도 있고, 필요하면 상대의 약점을 집요할 정도로 공략해야할 필요도 생길 수 있기 때문이다.

예상 구도

전쟁에 비유하자면 현재 우리의 전략적 위치와 지도를 냉정하게 그려보아야 한다. 다시 말해 현재의 구도(포지션)는 물론 지역과 전국의 이슈를 객관적이고 냉철하게 그려보고 앞으로 우리가 가져가야 할, 또는 변화시켜야 할 구도를 예상해본다.

이것은 전쟁에서 우리의 현재 위치를 유리한 전략적 위치로 전환하기 위한 기본적 목표 선정이라고 볼 수 있다.

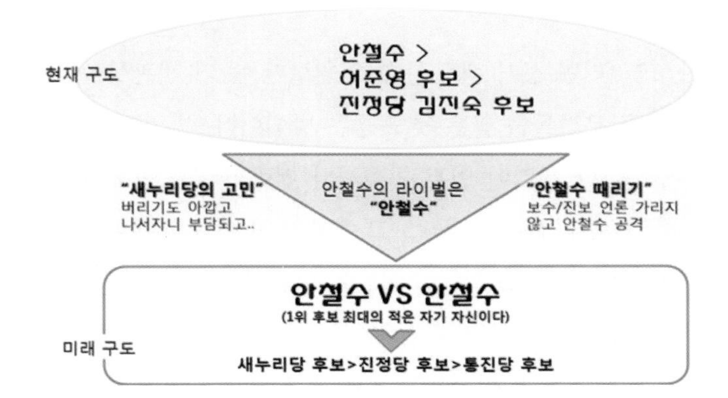

'불리한 구도를 서둘러 깨지 못하면 공격 대상이 되기 쉽다!'

이슈

여러 이슈를 한두 개로 집중해 쟁점화爭點化한다. 각 유세지점별(동네별) 보조 이슈를 하나씩 정하고 전체 이슈와 함께 반복한다.

'이슈 논쟁은 내가 돌린 카드로 진행되게 하라!'

Note

선거 구도는 각 캠프에서 어느 정도 가늠할 수 있다. 문제는 그러한 구도가 우리에게 불리하다면 구도를 깨야 하고, 우리에게 유리한 구도라면 그것을 좀 더 견고하게 하여야 한다는 것이다. 그러려면 선거 캠프 내부 인원보다 좀 더 객관성을 담보할 만한 전문가들을 찾는 것도 좋은 방법이다.

유명하거나 능력이 있는 기획사나 전략가를 초빙하여 구도에 대한 변환 지점을 점검해보고 이를 위한 이슈를 개발하는 것이 필요하다. 그리고 정해진 이슈와 변환할 구도가 만들어졌다면, 선거 캠프는 이를 실행에 옮겨야 한다. 전략은 전술적으로 훌륭하게 수행될 때 완성되는 것이고, 전술적 활용도와 가능성이 무시된 전략은 좋은 전략이 아니다. 전술적 실행 가능성과 수행능력이 우리가 잡고자 하는 전략의 방향이 되어야 한다.

▸ 현재 안철수의 이슈는 다시 돌아온, 변한 안철수 그 모습 그대로.

▸ 무리한 '이슈 메이킹'보다는 컴백할 때의 마음가짐을 끝까지 지켜내고 변화에 완성된 모습을 보여주는 것이 필요하다.

▸ 다만 현장 조직을 통해 각 동네별(지역별) 정보 수집으로 유세 지점별(동네별) 보조 이슈를 최소한 하나 이상 설정하여 후보가 유세할 때 활용할 수 있도록 한다.

후보자 SWOT 분석

'지피지기知彼知己 백전백승百戰百勝!'

그런데 '지기知己'는 확실하게 되셨습니까?

전쟁에서 우리의 전력도 파악되지 않은 상태로 적을 알아보고 전략적 위치를 알아봐야 아무 소용이 없다.

■ 모든 위기는 항상 기회와 함께 존재한다.

S	W
돌아온 안철수 지난 대선에서의 인기 지속 새로운 정치, 새로운 정치인에 대한 유권자 기대 다시 시작하는 안철수(본인 스스로 변화에 대한 갈망과 노력)	아직은 정치인보다는 훌륭한 벤처 기업가 모습 남아 공보 시스템 부족으로 많은 언론들의 대량 공격을 효과적으로 대응하지 못함 이전 대선에서 보여준 간접화법 여전 정치적 판단을 사업가적 판단법과 혼동
O	**T**
언론의 과도한 관심(?)으로 다른 후보와 다른 선거구에 비하여 항상 관심의 중심에 위치 지난 대선과는 다른 캠프 구성(폐쇄적→개방적) 새로이 채워갈 수 있는 정치인(정치 세력)	진보, 보수 가릴 것 없이 무작정 공격과 비난 노원(병) 야권 후보 단일화에 대한 프로세스 부족 및 단일화 트라우마 이번 재보궐은 과연 제대로 준비된 출마인가? 대선 때도 스스로 준비가 부족함을 모르고 있었다 과연 새로운 정치란 무엇인가?

유권자들이 자신을 알면 모두가 지지할 거라는 생각하지 마라!

Note

후보자의 SWOT 분석도 객관성을 유지할 필요가 있기 때문에 내부 인원보다 외부의 전문 인사에게 맡기는 것이 좋다. 내부 인원이라면 후보자에 대한 단점과 위기 상황을 함부로 말할 수 없는 관계일 가능성이 높기 때문이다.

모든 후보와 캠프가 그런 것은 아니지만, 아무래도 후보의 민감한 부분은 내부에서 감히 거론할 수 없는 경우도 흔히 있을 수 있기 때문이다. 후보의 단점이나 위기상황을 인지하였다면 분명하게 대응하여야 한다. 기회 상황의 경우도 마찬가지다.

노원(병)의 예를 들어보자.

필자가 언급한 후보의 약점과 위기 부분에 대해 후보와 캠프가 적극적·능동적으로 처리하고 대응하였다. 기획서 제출 이후 캠프는 언론 대응과 공보 체계를 전환하였고, 보도 자료를 내지 않던 전례를 벗어나 성명서도 내고 기자와의 관계도 훨씬 원활하게 가져갔다. 후보 역시 언론 앞에서 좀 더 확실한 표현과 직접적인 어법을 사용하여 후보가 변하였다는 인식을 심어주었다.

그리고 새로운 정치에 대한 구체적 모델을 제시하여 발표하였다. 단일화에 대해서도 캠프 내부에서 일정 정도의 단계적 프로세스를 갖고 움직이기 시작하였다. 지역 정책, 공약 등에 대해서도 모호함을 벗어나 확실하고 확신에 찬 내용으로 공식 발표를 하였다.

이처럼 후보의 SWOT 분석에서만 끝날 것이 아니라, 표출된 문제점과 개선점을 최대한 조속하게 적극적으로 대응하고 잡아나가는 것이 중요하다. 그러한 모습은 이기는 후보, 이기는 캠프의 전형을 보여주는 것이다.

'기본 조사, 분석, 운영 방법' 요약과 정리

1위 후보만이 할 수 있는 것이 있다. 방어, 그리고 자기 자신을 스스로 경쟁화 시키는 것이다. 방어는 1위 후보가 할 수 있는 적절한 공격 방법이기도 하다. 아직 경쟁자가 보이지 않는다고 '지금 이대로'를 외쳐서는 안 된다. 본인과 캠프 전체에 좀 더 혹독한 각성과 간절함을 배양해야 한다.

가장 어려운 상대를 만들어라. 바로 안철수 스스로 어려운 상대가 되어 지금의 한계를 넘어야 한다.

캠프 구성원은 핵심 운영 요원 일부를 제외하고 모두 현장으로 나가서 활동하도록 해야 한다.

ⓐ 선거 사무실은 외부 손님을 위한 공간이지 스텝이 후보에게 충성스러운 모습을 보여주기 위한 공간이 아니다.
기획, 홍보, 공보물 제작, 공보-보도자료 작성, 메시지, 온라인 운영 등에 필요한 3명 정도만 제외하고 모두 밖으로 내보내라. 캠프 인원 1명이 노원(병) 지역 지인 찾기 50명 이상씩 모아 오도록 시켜라! 못 하거나 말이 많으면 돌려보내라.

기본 전략 세우기

어떻게 이길까를 고민하기보다 이기는 방법을 세워라. 이것이 '기본 전략 세우기'이다. 전쟁에서 이기려면 무기를 갖추고 현장에서 직접 싸워야만 한다. 이러한 전술적 고려사항(현장 실행을 위한 고려사항)을 갖추지 않고는 전략이라 할 수 없다. 다시 말해서 전술적 실행 가능성 여부와 실행을 위한 실질적 대처방법이 고려되지 않으면 좋은 전략이 못 된다. 그래서 분명히 '전략은 이기는 방법'이라고 강조한다.

전략은 이기는 방법이다

선거에서 효과적인 방법은 더 좋은 것이 아니라 차별화된 것이다.

효과적인 전략 수립을 위해서는 이렇게 해야 한다.

전략을 수립하는 핵심그룹(inner circle)을 구성하라. 이슈에 대해 공부하라. 선거 책임자를 선정하라. 메시지를 개발하라. 연설문과 자료집을 준비하라. 후보 SWOT 분석을 하라. 선거 전략을 문서화하라. 한두 가지에 집중하라(모든 곳을 지키려는 자는 아무 것도 지키지 못한다).

후보자 포지셔닝이 중요성하다.

차별화 되고 다른 컨셉을 추구하더라도 유권자가 공감할 수 있는 것이 필요하다. 유권자에게 먼저 믿음의 체계를 심어주는 것이 중요하다. 유권자의 인식을 '어떻게 단일하고 명료하게 구성해 나가느냐'가 중요하다. 후보자 포지셔닝과 컨셉이 정확히 구성되어야만 이를 통해 세부 전략을 세우고 유권자와 소통하며, 후보자의 브랜드를 유지할 수 있다.

Note

70%의 사람들은 보는 것을 믿기보다 믿는 것을 보게 된다. 그러므로 무작정 새로운 것을 만들려고만 할 것이 아니라, 유권자들과 공감하는 지점을 찾아내고 같은 공감대 안에서 다른 후보와 차별화된(다른 후보가 찾아내지 못한 공감지점에 대한) 대응을 만들어내야 한다. 물론 유권자들과의 그 공감지점은 앞서 1장, 2장을 통해 유권자와 선거 지형에 대한 자료조사와 분석으로 찾아내야 한다.

▶ 선거를 앞두고 캠프의 적절한 기조를 정하기 위해 나름의 역량과 아이디어가 더해져야 한다. 그러한 기조는 후보 컨셉, 캐릭터, 메시지, 슬로건 등을 동반한다. 그런데 대부분의 캠프가 그러한 기조를 산출해낼 능력을 갖추지 못한다는 것이 문제다. 이럴 경우 선거 기획사 등을 통해 적절한 기조를 잡는 것도 좋은 방법이다. 아무래도 전문가 그룹에 의한 설정은 확실히 다르기 때문이다.

▶ 또 다른 방법도 있다. 많지는 않더라도 나름의 선거 기획·전략 전문가와 상의를 하는 방법이다. 그런 전문가는 상주·상근은 아니더라도 옵서버나 이너 서클 멤버 같이 간접적으로나마 캠프에 합류시키는 것도 좋은 방법이다.

▶ 선거 기조와 전략, 기획을 잘 세우는 것이 중요한 것이 아니라 이를 제대로 실행하는 것이 중요하다는 점을 다시 한 번 강조한다. 노원(병)의 예를 들어보자.

▶ 노원(병)의 안철수 후보도 언론 대응과 본인 이미지 개선을 위해, 그리고 정치인으로서의 모습을 보이기 위한 노력을 게을리 하지 않았다. 물론 필자가 보고서에서 강조했던 내용에 따라 실제로 움직였고 적극적으로 대처하였다.

▶ 노원(병) 선거에서 안철수 후보가 당선에 성공한 것은 누군가가 세워놓은 전략이나 선거 기조가 흠잡을 데가 없었기 때문이 아니라, 한 번 정해진 기조와 전략을 끝까지 지켜내는 노력과 실행이 뒤따랐기 때문이라고 할 수도 있다.

컨셉Concept

이제 후보자의 컨셉이나 캐릭터, 메인 메시지, 구호·슬로건 등을 만들어보자. 이것은 선거를 앞두고 선거 캠프의 모든 활동에 기조基調가 되는 것이다. 앞장을 통해 조사되고 분석된 내용을 감안하여 가장 적절하면서도 유권자에게 쉽게 다가갈 수 있는 내용으로 기조를 잡는 것이 중요하다.

Ⓚ 정치는 추상적 언어로 표현하고, 선거는 구체적 이미지로 표현한다.

유권자들의 인식을 바꾸는 것은 굉장히 어려운 일이다. 그런 만큼 정해진 컨셉과 이미지가 있다면(정해졌다면) 이미지와 상징을 앞세우고 평판을 끝까지 지켜내라.

유권자에게 먼저 믿음의 체계를 심어주는 것이 중요하다. 고정관념을 새롭게 해석하라. 있는 그대로 보라. 핵심 경쟁력을 정의하라. 낯선 것들을 연결하여 낯설음과 공감대를 형성하라.

▸ 아쉽게도 안철수 후보와 안철수 캠프가 무엇을 보여주려고 하는지, 무엇을 하기 위해 컴백을 하여 노원(병)에 출마했는지 잘 드러나지 않는다.

▸ 기자단을 물리치고 유세 현장을 발로 뛰는 것은 어떤가? 그러면 언론과 기자들은 안철수 후보에 대한 기사를 그들의 상상과 주위의 평판에서 나오는 이야기 위주로 만들 수밖에 없

다. 그러다 보니 비난과 공격 일색이다. 더불어 '간철수'라는 말도 다시 나온다.

▸ 후보가 지금 무엇을 하고 있는지, 무엇을 하려고 하는지 유권자와 국민들에게 명확히 보여줄 필요가 있다. 그것을 보여줄 수 있는 가장 쉬운 방법이 언론이다.

컨셉은 선거 처음부터 끝까지 일관되고 반복적으로 유권자에게 전달되어야 한다.

캐릭터

"튀는 것보다 친숙한 것이 좋은 캐릭터다."

▸ 안철수 후보는 워낙 유명인이고 언론에서 관심의 대상이므로 굳이 캐릭터를 만들어나갈 필요가 없다. 그러나 기존의 캐릭터를 깨쳐낼 필요는 있다.

▸ 각종 사회 이슈에 대한 구체적이고 능동적인 대처, 언론과 가까이 만나려 하지 않는(shy) 모습을 벗어난 적극적인 스킨십, 다소 구태舊態스러울지라도 기존 정치인들이 갖춘 노련함 등을 조속히 갖춰야 한다.

▸ 착한 안철수는 모든 사람들에게 이미 고정되어 있다. 안철수가 무엇을 하려 한다면 나쁜 일은 아니라는 것을 대부분이 알고 있다. 그러나 정치를 착하게 해서는 안 된다. 그리고 안철수가 정치를 착하게 하지 않는다고 대중이 안철수에 대한 기존의 착한 이미지를 쉽게 버리지도 않는다.

▶ 정치를 기업인의 두뇌로 이해하고 풀어 나가서도 안 된다. 정치는 정치인으로서 하는 것이지 기업인으로서 해서는 안 된다. 정치인 안철수가 필요하다.
"후보 캐릭터는 이상형을 만드는 게 아니다. 유권자가 요구하거나 잘 먹혀 들어갈 수 있는 캐릭터를 부각시켜라."

메시지

메시지를 작성할 때 주의할 사항

①단순하게 만든다. 〉 간단히 줄인다. 〉 짧은 문장+쉬운 단어 〉 최소한의 공통분모 ②패턴 파괴 ; 사람들의 관심을 끄는 기본적 방법 ③구체적 메시지는 기억하기 쉽다. ④수치를 너무 강조하지 마라(금방 잊는다). ⑤가르치려 하지 마라. ⑥메지지를 개발하고 운영하는 팀을 조직하라(이너 서클에서 대신하여도 됨).

메시지 개발·운영 조직의 중요성

①캠프에서 브레인 역할 하는 팀이 메시지 개발 ②이너 서클 **inner circle**을 구성하여 운영하라(공보·홍보 역할과 인터넷 팀 동시 운영 가능). ③이너 서클은 유세 메시지, 토론회 준비, 정책과 공약 개발 등 선거의 핵심 역할을 담당한다.

구호 · 슬로건

■ 구호·슬로건은 후보자와 캠프 관계자가 좋아하고 안심할 만

한 것이 아니라, 유권자가 공감할 수 있는 것이 필요하다.

Note

컨셉과 캐릭터는 후보자와 캠프가 전개할 메시지와 슬로건을 통해 표현된다. 필자는 노원(병) 선거에서 후보자의 컨셉과 캐릭터를 만드는 것이 중요하다고 보지 않았다. 이유는 너무나 잘 알려진 인물이고 이미 대다수 국민에게 컨셉과 캐릭터가 잡혀 있었기 때문이다. 그래서 후보자에게 집중되어 있는 언론을 활용해 후보자에 대해 잘못 알려진, 부정적 컨셉과 캐릭터를 고쳐나가자고 강조하였다.

우연일지 모르겠으나, 후보자와 캠프는 필자의 이러한 걱정에 적극적으로 대처하였다. 한 마디로 확실하게 변한 '안철수'의 모습을 선거가 끝날 때까지 지속적으로 보여주었다.

지금 이 책을 읽는 모든 후보자에게 적절한 컨셉과 캐릭터를 제시할 수는 없다. 그렇지만 강조하고 싶은 방향은 있다. 후보자나 캠프가 원하는 컨셉이나 캐릭터를 만들지 말고 유권자가 친숙하게 느낄 수 있는 컨셉이나 캐릭터를 만들어야 한다는 것이다. 그리고 한 번 정하였다면 그야말로 목숨을 걸고 선거가 끝날 때까지 그것을 유지하고 지켜내야 한다는 것이다.

만약 정해진 컨셉이나 캐릭터를 바뀌었을 경우 후보는 한 명이지만 유권자에게는 2명의 후보자로 느껴질 수 있다. 그만큼 유권자는 선택해야 할 후보자에 대하여 헛갈릴 수가 있기 때문이다

홍보 전략

어떻게 해야 유권자에게 제대로 전달될까?
적절하고 효율적인 홍보 방법은 무엇일까?

홍보 목표를 분명히 하라.

정해진 선거 전략과 후보 컨셉, 메시지 등을 각각의 매체를 통해 효과적으로 알리는 것이 홍보의 목표다. 홍보할 수 있는 매체에 무조건 후보를 알리고 많이 노출되도록 하는 것은 지양한다.

IMC로 운영하라.

IMC는 통합 마케팅 커뮤니케이션**Integrated Marketing Communication**이란 뜻으로 다양한 커뮤니케이션 수단의 역할을 비교 검토한 다음, 명료한 일관성을 유지하면서 다양한 수단을 통합하여 효율적으로 운영하는 계획을 말한다. 한 마디로 홍보 방법마다 똑같이 하나의 컨셉을 가장 효율적 방식으로 일관되게 알리는 것이다.

Ⓚ 정해진 메시지와 슬로건, 구호, 후보 컨셉 등은 선거가 끝날 때까지 일관성을 유지하여 계속한다.

경우에 따라 특정 집단에게 일임(직접 IMC를 운영할 자신이 없다면) 한다. 홍보 수단마다 다른 메시지, 다른 컨셉을 전파하는 것은 실패하는 홍보의 전형이다.

홍보 수단을 확인하라.

언론, 인터넷 광고, 언론 보도(보도자료 배포), 구전 홍보, 현장 유세, 지원 유세, 인터넷 활동, SNS 활동, 선거 판촉물(선거 공보물·차량·명함·어깨띠·현수막 등) …… 다양한 홍보 수단이 있다. 중요한 것은 여러 홍보 수단을 통해 별개의(제각각의) 메시지로 전파하여서는 안 되며, 단일한 메시지를 프로세스 화하여 효과적으로 전파해야 한다는 것이다(IMC 운영).

후보가 만날 수 있는 최대 인원은 1일 600명, 15일 선거 기간 동안 연인원 9,000명이 넘지 못한다. 결국 홍보 역시 대량 살포가 아니라 선별된 대상을 중심으로 전개되어야 한다.

- 일관된 홍보 메시지 전파와 효율적 **IMC** 운영을 위해, 실무 담당자에게 홍보 통합 지휘를 맡기고 운영에 필요한 권한과 지속적인 신뢰를 부여해야 한다.

Note

IMC(통합 마케팅 커뮤니케이션)의 구현은 간단하다. 선거 캠프의 모든 홍보 수단에서 정해진 메시지, 슬로건, 컨셉 등을 일관성 있게 운용한다. 이미지 디자인도 이와 유사한 것으로 기본 프레임을 설정하고 끝까지 그대로 유지해야 한다. 그러기 위해서 홍보 관련 인원이나 부서를 통합하여 운영하여야 한다. 그래야 캠프에서 나오는 모든 메시지나 컨셉이 행여 실수로라도 달리 나가는 것을 막을 수 있다.

물론 (선거) 조직을 통한 구전홍보의 내용도 마찬가지다. 이는 전략 관련 선거 조직이 필요 이상으로 방대해서는 안 된다는 의미다. 홍보팀 따로, 공보물 팀 따로, 메시지 팀 따로, 조직팀 따로 운영되고 제각기 움직인다면 캠프 스텝 모두가 정말 힘들게 일할 수밖에 없을 것이다.

선거 사무실의 인원과 조직은 가능한 콤팩트**Compact**하게 구성하고 조직 활동에 주력하여야 한다. 그리고 선거본부 상황실이나 전략기획을 맡은 특정 부서·인원을 통해 모든 선거 홍보 활동이 움직여지는 시스템으로 구축하여야 한다.

▶ 만약 어느 선거 캠프가 홍보를 통합 운영하지 않거나 홍보팀, 조직 팀, 메시지 팀 등이 제각기 따로 움직이면서 유기적인 시스템을 구축하지 못한다면 그 캠프의 모든 팀들은 해당 선거 업무를 관습적으로만 행하고 있을 따름이다.

▶ 모두가 선거를 하니까 하는 것이고, 홍보를 하니까 하는 것이고, 조직 팀을 운영하니까 운영하는 것이고, 메시지를 만드니까 만드는 식으로 그냥 업무를 진행하고 있을 뿐인 것이다.

▶ 선거 캠프는 회사가 아니라 고도의 기능이 필요한 살아 있는 조직이다. 일반 사기업도 하나의 목표를 가지고 프로젝트를 운영할 경우 커뮤니케이션의 부조화를 방지하기 위해 TFTeam을 구성하기도 한다. 하물며 정치가 소통이라고 외

치는 정치권 사람들이 선거캠프 내에서의 소통도 없이 자기 파트만 진행한다면 큰 모순이 아닐 수 없다. 이런 모순으로 인하여, 일을 제대로 하는 사람들까지도 쉬운 일을 어렵게 치러내는 선거 캠프가 생각보다 많다.

사이버 전략

사이버 전략, 어떻게 해야 할까?

전력을 집중하기엔 애매하고, 정작 하지 않을 수도 없는 분야다.

국회의원 선거와 온라인 홍보

국회의원 선거는 투표권자에 대한 선거 운동이 절대적으로 온라인 캠페인에 너무 치중할 필요는 없다. 광역단체장 선거는 지역 유세와 조직적 운동의 효율성 문제로 이른바 공중전과 사이버 운영이 큰 비중을 차지하지만 국회의원 선거에서는 그만한 비중이 없다.

국회의원 선거에서 온라인 홍보는 기본만. 홈페이지는 후보자 인물 알리기 정도면 충분하다. 온라인 홍보에 의한 유권자의 후보 선택은 2~3%대로 영향력이 미약하다(제2장 유권자 의식조사 편 참조). 사이버 활동은 선거의 전체적 흐름과 같이 하면서 후보의 홍보에 치중하는 역할만 하도록 한다.

사이버 전략

기본 선거 전략 내용에 충실한 홍보 매체로 활용한다(기본적 전략 내 수직적 관계). 후보자건 캠프건 온라인에 매달리지 마라. 온라인 담당자는 별도로 임명한다(상황에 따라 다른 임무와 중복 또는 전문가에게 일임).

국회의원 선거의 경우 온라인에서의 별도 캠페인은 오히려 우리 전력과 집중력의 분산만 초래한다. 홈페이지에는 기본적인 것을 빠지지 않고 수록할 필요가 있다(구체적이고 상세하게 후보를 안내할 수 있는 유일한 방법).

경우에 따라 블로그나 카페 등을 공식 홈페이지로 활용하여도 무방하다. 공식 홈페이지가 따로 있다면, 추가로 블로그 하나 정도는 반드시 운영하는 것도 좋다(가능하면 다음·네이버 하나씩). 지지자 카페(팬 카페 등) 와 우호적 블로그를 각기 최소 1~2개 이상 확보한다.

이메일은 대량 발송 사이트에서 유료로 사용한다(비용 대비 효과가 큰 편).

기본적으로 온라인 광고는 반드시 진행한다(포탈 등에 배너 광고 등).

SNS 전략

근래 각광을 받는 SNS는 마케팅 툴로서, 정치와 사회적 소통 공간으로서, 무척 많은 영향을 끼치고 있다. 그러나 SNS는 기업이나 정치인이 일상 소통이 아니라 마케팅 툴로 활용하려면 관련 전문가의 충분한 컨설팅과 SNS 전용 운영자에 의한 운영이 필요하다.

SNS 기능에 대한 오해

① SNS를 통해 쉽게 유권자 관계를 구축할 수 있을 거라는 생각? 관계 구축은 단기간 온라인 접촉보단 장기간 대면 접촉에 의해 형성된다. 오프라인 추가 접촉 활동이 필요하다. SNS 사용자 증가하고 있지만 주로 개인 일상사나 생활정보, 오락 등에 활용한다. 단문·비언어적 표현 공유에 한계가 있다.

② SNS에서 양방향 소통이 활발하게 이뤄진다는 생각? 현실에선 양 방향보단 주로 발신자 입장의 일방적 전달. 수신자는 정보 습득용 활용이 대세다. 인기 트윗의 절반을 사용자 중 0.05%가 발신. 마케팅 툴로 사용하려는 쪽도 일방적 홍보로 활용하는 경향.

③ 조직 내 구성원들은 SNS 활동에 자발적으로 참여할 거라는 생각?

④ **SNS**에서는 수많은 팬보다 **1**명의 열렬한 반대자가 더 강력할 수 있다.

SNS의 종류별 특성(*자료 출처 : 삼성경제연구소)

구 분	왜 이용하나?	누가 사용하나?	어떻게 활용하나?
페이스북	서로 근황을 전하고 삽시다	학교친구나 사회에서 알게 된 지인	기존 지인과 사회적 관계 유지 및 새 인맥 형성
미투데이	누군지 알고 싶고, 뭔지 보여주고 싶네…	일상의 관심사에 대해 새로운 사람과 대화를 원하는 사람	낯설지만 공통의 관심사를 가진 사람과의 소통
트위터	나 지금 뭐 해	단문 메시지나, 원하는 대상이 제공하는 정보의 구독에 매료된 사람	글쓰기 스트레스 없이 간결한 표현으로 신속 확산

"소통의 성공은 방법이 아니라 소통되는 정보의 질로 평가된다."

Note

자칭 사이버 전문가들은 부정할지 모른다. 그러나 필자가 단언하자면, SNS(활동)는 표를 모으는 데 별로 도움이 되지 못한다. 특히 전국 선거에서 기초단체장급 이하의 선거일 경우가 그렇다. (필자도 대선 후보 급 사이버 팀 총괄팀장 출신으로서 감히 강조하는 바이다.)

유권자의 후보 인지 경로조사를 보더라도 온라인을 통한 후보 인지는 많아야 1%다. 단, 광역단체장급의 경우 후보자와의 접촉 경로가 제한되어 있는 관계로 3% 가까이 되기는 한다. 1%의 유권자도 SNS만을 통해서라기보다는 후보자의 기본 홈페이지나 블로그 등을 통해서 인지한 경우가 포함되어 있다. 한 마디로 SNS는 후보와 캠프의 자위용 수단 정도다. 없어서도 안 되겠지만, 여기에 집중하는 것도 전력만 분산하는 꼴이 된다.

다만 SNS에서 확실하게 얻을 만한 것이 있다면, 단 한 번의 강력한 네거티브 성 공격이다. 이는 공격하는 입장이든, 공격을 받는 입장이든 마찬가지다. 특정 후보의 중요한 실수나 결정적인 약점이 발생할 경우, SNS를 통하여 한 방에 흔들 수 있다. 표현하자면 SNS는 평상시에는 소통을 빙자한 중요한 수단이지만 선거에서는 언제 터질지 모르는 전략 핵무기와 같은 것이다. 그런데 지구상에서 벌어진 현대 전쟁 중에서 핵무기(원자폭탄) 가 사용된 전쟁은 딱 한 번뿐이었다.

한 마디만 더 하겠다. SNS를 등록한 네티즌 중 적극적인 정보 유통자나 소문 확산자는 전체 사용자의 0.3% 이하에 불과하다. 그리고 그러한 정보 유통이나 소문 확산자 중에서 정치, 선거와 관련된 콘텐츠를 대상으로 하는 사람은 0.3% 중에서도 더 나뉘는 소수일 뿐이다. 특히 전국적으로 수천 명의 후보가 출마하는 선거에서 SNS의 정치적 메시지는 잠시 지나가는 글자 중의 하나일 뿐이라는 것이다.

✎ 광역단체장급 선거라면?

SNS 전문가들은 많다. 그들 중에 후보를 위해 움직여줄 사람에게 맡기면 된다.

내부 조직

선거 컨트롤 타워는 어떻게 하는 것이 적절할까?

"후보는 선거를 지배하지 못한다."

선거(캠프) 를 지배하는 후보자가 있다면 (캠프) 조직은 해체될 운명이다.

후보는 조직(캠프) 이 준비한 일정과 메시지, 행동 지침에 따라 움직여야 하고, 유권자를 한 명이라도 더 만나고 지지활동을 하는 데 시간을 할애해야 한다.

후보를 제외한 모든 사람은 조직원이 되어야 한다.

후보가 직접 조직(캠프)을 장악하고 관여한다면 후보 스스로 캠프 내의 조직이나 조직원 누구도 신뢰하지 않는다는 증거로 작용한다.

"대가를 바라는 조직은 독이다."

선거 조직 구성의 불문율이면서 숙제. 조직은 후보자 수행 팀, 후보 배우자 수행 팀, 이너 서클(메시지 개발 팀), 홍보팀, 온라인 운영 팀, 공보팀, 상황실(종합상황실), 유권자 관리(조직 팀), 총무·회계 관리, 정책 개발·공약 팀으로 대별할 수 있다.

여기에 거론한 조직을 각기 개별 운영할 수도 있고 상황에 따라 몇몇 조직은 통합 운영할 수도 있다. 예를 들면 홍보팀+사이버 팀, 공보팀+홍보+사이버 팀, 이너 서클+메시지 팀 등.

각기 팀에게 고유 권한과 책임을 일임한다.

모든 팀 간의 유기적인 움직임과 소통이 필요하다. (필요한 경우 캠프 좌장 역할을 별도로 두거나 상황실장을 총책임자로 임명하여 총괄 지휘하게 한다.)

지휘 권한을 가진 사람이 캠프 내에서 서열이 낮거나 권한에 한계를 보일 경우 캠프가 흐트러질 수도 있고, 조직 내의 또 다른 권력싸움이 발생할 수도 있다.

임무를 정해 확실히 일임해야 할 역할

사무장, 회계 담당, 법률 담당, 상황실장, 메시지 개발팀(이너 서클·비상근 가능), 개인비서(수행비서), 운전기사, 정책·공약 개발 책임자(전문가·비상근 가능), 커뮤니케이션 책임자(홍보 책임자), 대변인(겸임 가능).

각자의 임무·역할과 포지션에 대해서는 '제4장'에서 설명

거듭 강조하듯이 후보는 캠프를 직접 움직이기 힘들다. 그러한 후보가 있다면 후보로서 할 일을 많이 놓치고 있다는 증거다. 캠프를 맡을 확실한 사람 몇 명에게 캠프를 맡겨야 한다.

많이도 필요 없다. 선거에서 내근 업무는 조직 파트를 제외한다면 소수로도 가능하다. 쓸데없이 선거 사무실 책상에 앉아있는 사람들을 많이 둘 필요는 없다. 대부분은 인터넷 검색이나 하고 있을 것이다.

지금 선거 캠프가 꾸려졌다면, 주위를 둘러보기 바란다. 그런 사람이 반드시 있을 것이다. 노원(병) 안철수 후보 캠프도 이 점은 피하지 못했다.

여론조사

여론조사, 얼마만큼 믿어야 할까?

여론조사는 보고 믿어야 할 문서가 아니라 활용하고 참고해야 할 수단 중의 하나다. 선거에서 여론조사는 결과나 내용을 미리 알아보기 위해 활용하는 것이 아니라, 또 다른 선거운동(기획)의 하나로 활용해야 한다.

여론 조사, 얼마나 믿어야 하고 무엇을 경계해야 할까?

MB 정권 이후부터 여론조사 결과와 실제 선거 결과가 다른 상황이 다수 발생했다. 요인은 여러 가지로 볼 수 있으나, 그 중에서도 주목할 만한 몇 가지 사항이다.

▷주로 KT 명부 등재 유선전화 번호에만 의존한다.→ 오래된 전화번호(여론조사 전화를 받는 사람만 받는다.) ▷MB 정권의 민주화와 소통에 대한 억압과 일방 통치로 인해 국민들이 자신의 뜻을 숨기는 현상 ▷저조한 응답률 : 수신 부재 번호에 몇 번이고 다시 전화를 걸어 억지로 응답을 받아내는 현실(데이터 수의 한계) ▷성의 없는 응답 : 피조사자도 신중하게 판단하고 선택하지 않는다.

그렇다면 여론조사를 어떻게 봐야 하고, 어떻게 활용해야 할까?

여론조사 결과의 지지율 수치로 일희일비할 필요가 없다. 여론조사 데이터상의 내용을 분석하고 의미를 파악한 후 다음 대안을 만들어 나가는 데 활용한다. 어떤 목표로 진행하는 여론조사인지 분명해야 한다(홍보용·객관적 조사용 등). 여론조사는 일차적으로 선거 전략 수립과 선거 운영에 방향타가 되어준다.

여론조사의 활용

여론조사를 후보자 홍보 도구로 유용하게 활용한다. 특히 인지도가 부족한 후보는 인지도를 높이는 기회로 여론조사를 적절히 활용할 수 있다.

여론조사 홍보를 할 때 비용을 아끼지 마라!

KT 등재 번호 말고, 미등재 번호와 휴대폰 번호를 대상으로 가능한 한 응답 수를 많이 하여 후보를 알린다. 후보 알리기가 목적이라면 ARS보다 면접원 조사가 더 효율적이다(확실히 인지시키는 인위적 활동 가능).

2~3번에 1번 정도는 객관성 있는 조사를 하여 언론에 보도용 자료로 배포한다. 2번 정도 홍보용 여론조사를 한 다음 비슷한 대상자를 상대로 비교적 객관성 있는 조사를 다시 실시할 경우, 해당 후보에 유리한 결과가 나올 수 있다. 이때 나온 결과를 언론 등에 적극 배포하고 홍보자료로 활용하는 것이다.

Note

여론조사는 조사 주체, 이유, 방법, 대상, 문구(질문 항목), 배치 등에 따라서 결과가 다르게 나올 수 있다. 그야말로 일부 업자(여기선 업체가 아니라 업자라고 표현할 필요가 있다)의 경우는 얼마든지 조사 결과를 예측한 대로 내놓을 수도 있다.

예를 들자면, 노원(병) 선거에서도 줄곧 새누리당 후보가 앞서는 것으로 결과가 나오는 여론조사를 내놓은 업자도 있었다. 많은 실력 있는 여론조사 업체까지 피해를 주는 행위이다.

그러므로 여론조사에 의한 수치와 결과로 선거 결과를 예단해서는 절대로 안 된다. 물론 다양한 여론조사 기관에 의해 대부분의 여론조사 결과가 비슷하게 나올 경우는 최종 결과와 상당히 근접하다 할 수는 있다.

필자가 강조하고 싶은 부분은, 여론조사도 선거 전략이나 전술의 한 축으로서 활용하라는 것이다. 이 부분은 여론조사의 전술적 활용 안을 참조하기 바란다.

구도 조정

현재 지역구 후보들의 상태와 구도를 변화시킬 만한 전략(방법)을 강구해본다.

민주당의 노원(병) 선거구 무공천無公薦 결정과 지구당 위원장의 반발로 무소속 출마까지 언급하는 상황은 예정된 수순인 셈이다. 이동섭 위원장의 무소속 출마 언급과 실행은 우리 쪽에 보내는 기회의 메시지라고도 할 수 있다.

보안을 철저히 유지하며 협상팀 구성. 이동섭 쪽의 관계자와(또는 이동섭과 직접) 지속적 커뮤니티 형성하여 인적 교류와 상호 공감대 형성. 가능하면 빠른 시간 내에 이동섭 쪽과 암묵적 합의 도출 필요. 그러자면 이동섭 위원장의 역할과 공간을 만들어 줘야 한다.

후보는 절대로 직접 이동섭(쪽)을 만나거나 이와 관련하여 공식적으로 언급하는 것은 삼가야 한다. 그러면서 민주당의 노원(병) 지역 조직과 민주당 전통 지지층을 우리 쪽으로 확실하게 끌어오도록 전략적 협력 관계를 형성해야 한다.

☮ 안철수 캠프에서 민주당 조직·지지층 대상으로 공략할 때 첨병으로 활용하라!

이동섭 후보와 민주당 전통 조직 및 지지층은 득표율 기준으로 10% 정도의 고정 표가 예상된다. 그들이 상대 후보 지지로 돌아설 가능성은 없으나, 중요한 것은 우리를 위한 적극적 투표와 활발한 선거 활동에 참여시키는 데 있다. 또한 그들이 우리를 적극적으로 지지하고 활동할 경우 그들이 보유한 10%선의 득표율보다 훨씬 많은 시너지 효과가 가능하며, 김지선 후보의 입지 위축도 기대할 수 있다.

통합진보당 후보에 대해서는 무관심 대응

진보정의당 후보는 그동안 공을 들인 지역구 관리 차원과 사면복권 등이 이루어진 이후를 위한 장기적 포석에서의 출마로 판단된다. 조직 점검, 명분 쌓기 등이 예측되며 현재 상당한 비난을(지역구 부부 세습) 감수하고 있으며 분위기 전환을 시도 중이다. 그들의 입장에서 이번 선거의 최대 목표는 여당 후보 승리다. 우리에게 가장 골치 아픈 상대(일명 고춧가루 부대) 일 가능성이 있다. 그들이 펼치는 심리전에는 무대응과 무관심 전략.

이동섭 위원장을 활용할 필요(총선에서 단일화 승낙 등의 명분) 가 있다.

Ⓚ 그들은 3등후보다. 우리의 상대는 1위 후보인 '우리 후보 자신'이라는 점을 각인할 필요가 있다.

Note

이번에도 역시 중요한 것은 '방법(전략)을 세우는 것'보다, '실행할 수 있느냐'이다. 그리고 실행이 가능한 방법(전략)을 세우는 것이 중요하다.

필자는 제시한 내용이 충분히 실행 가능하다고 보았고 안철수 후보 캠프 역시 이를 완벽하게 소화(실행) 하였다. 이는 전략이 좋아서가 아니라 실행을 훌륭하게 수행하였기 때문에 전략이 돋보인 것이다.

문제는 '실행할 수 있는 방법(전략) 인가?', '그리고 그것을 실행하였는가?'가 중요하다는 사실을 다시 한 번 강조한다.

일정별 계획표 잡기(Time Table)

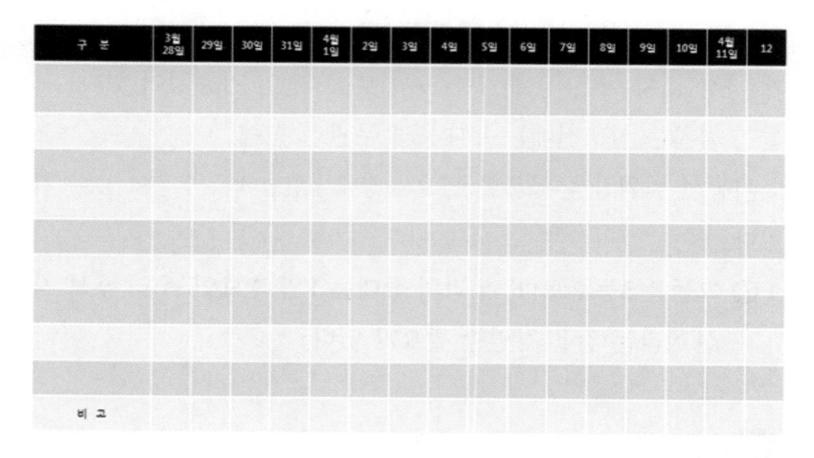

구 분	3월 28일	29일	30일	31일	4월 1일	2일	3일	4일	5일	6일	7일	8일	9일	10일	4월 11일	12
비 고																

■ 필자는 캠프에 계획표를 빈 칸인 채로 보내주었다. 왜냐하면 후보와 캠프의 일정은 캠프 내부의 실무 팀이 해야 할 일이었기 때문이다.

이런 식의 타임 테이블**Time Table**을 만들어 캠프 내의 주요 멤버들이 공유하고 상황에 따라 수정하면서 대응을 해야 한다. 그러면 선거에 필요한 사항을 각자가 미리 준비하고 점검할 수 있을 것이다.

요즘은 스마트폰 앱과 일반 PC 프로그램 등이 연동된 일정(스케줄) 관련 프로그램들이 많이 있다. 이런 프로그램은 캠프에서 지정한 요원들이 공유할 수 있고, 해당 요원들이 아주 손쉽게 확인할 수 있으며, 직접 입력하거나 간단한 메모를 할 수도 있다. 각 요원들의 개인 일정과 함께 정리하여 활용할 수도 있다. 이런 프로그램들을 적절하게 사용할 필요가 있다.

Memo

☮ **Time Table**을 작성할 때 고려할 내용들

추상적 일정과 구체적 실무 일정을 구분하여 함께 표시한다. 상대 후보 진영의 선거 운동 위축 시도에 대비해야 한다. 2번의 주말 이벤트에 총력을 기울여야 한다(부동층 표심은 마지막 주말에 결정!).

기본 전략의 일관성 사례

▸ 19대 총선 때 서울 강북 지역 어느 선거구에서 야권 단일후보는 "제대로 싸우겠습니다!"라는 슬로건을 들고 나왔다. 당시 상황은 정부여당의 계속된 실정에도 불구하고 야당 역할이 미미했던 점과 강력한 야당이 되기를 원했던 지역 유권자들의 요구를 반영한 셈이었다.

▸ 해당 후보는 비례대표로 국회의원을 한 번 역임했지만 선거구 유권자나 일반 시민들에게는 인지도가 거의 없는 무명에 가까운 후보인 점, 게다가 선거 50여 일 전만 하더라도 여권 성향 후보를 앞서고 있었으나 투표 전 30일 전후로 지지율이 역전되는 경향까지 나타나는 등의 문제가 나타나고 있었다.

▸ 그러자 이런 문제를 일소하기 위해 강력한 구호(문구) 가 필요하였고, 캠프에서 들고 나온 복수의 안을 바탕으로 후보와 중요 스텝이 모여서 합의하여 만든 슬로건이었다. 이 슬로건으로 후보의 컨셉과 캐릭터가 자연스럽게 형성되었다.

▸ 결과는 대성공이었다. 강력한 슬로건으로 다시 지지율의 회복 기미가 보이자 상대 후보가 뒤늦게 자신의 슬로건을 버리고 "저는 싸우지 않겠습니다!"라는 카피를 들고 나왔다. 이는

상대 후보가 해당 후보의 전략적 프레임에 걸려들기 시작했다는 의미였다.

- 이후 상대 후보는 명함 등의 인쇄물에 자신이 무릎을 꿇고 사죄하는 모습의 사진을 올리고 '죄송합니다!'라는 단어가 들어간 카피를 사용하기까지 하였다. 이는 상대 후보가 기 싸움에서 밀리고 있음을 자인해 버린 셈이고, 옳건 옳지 않건 자신 만의 장점과 전략을 고수하지 못하면서 야당 후보의 강력한 메시지에 굴복하는 결과가 되어버린 것이다.
- 결국 필자가 거들었던 야당 후보가 승리를 하였다. 그러나 그동안 필자는 "싸우겠습니다!"라는 단어를 사용한 죄로 해당 선거구의 나이 많은 어르신들로부터 꽤 많은 잔소리를 들어야만 했다.

제1장과 2장을 통해 도출된 데이터와 분석 내용을 활용하여 3장의 전략 안을 제시하고, 제4장은 3장의 전략 안에 맞춰 효과적인 전술 방안을 계획하는 동시에 선거에 필요한 각종 진행사항을 구체적으로 점검 · 제시하여 실행할 수 있도록 한다. 선거의 진행은 재치와 기발함이 아니라 일관성과 믿음으로 해야 한다.

'형식은 기능을 따라간다. 마찬가지로 전술은 전략을 따라가야 한다.'

'기업의 90%가 완벽한 전략을 갖추고서도 〈실행〉하는 데 실패한다.'

'승리했든, 패배했든 지난 선거는 잊어라!'

제4장
전술와 운영

조직

각 동별 분석과 전술 운영 안

기타

제1장부터 3장까지는 선거구에 대한 각종 자료를 조사하고 분석하여 전략적 기조基調와 선거 진행을 위한 컨셉 등을 정하였다. 이제는 실행을 위한 구체적 계획을 세우는 단계다. 실제 진행을 위한 지침서 만들기와 같은 마무리 작업이다(매뉴얼 제작 작업이라 할 수 있다).
이것도 전쟁에 비유하자면, 실무 부대의 배치 계획과 현장 전투 팀의 전술 계획, 또는 전투 실행 교범을 만드는 것이다. 그러면 현장의 전투 부대는 이를 바탕으로 실제 전투를 치르게 될 것이다.

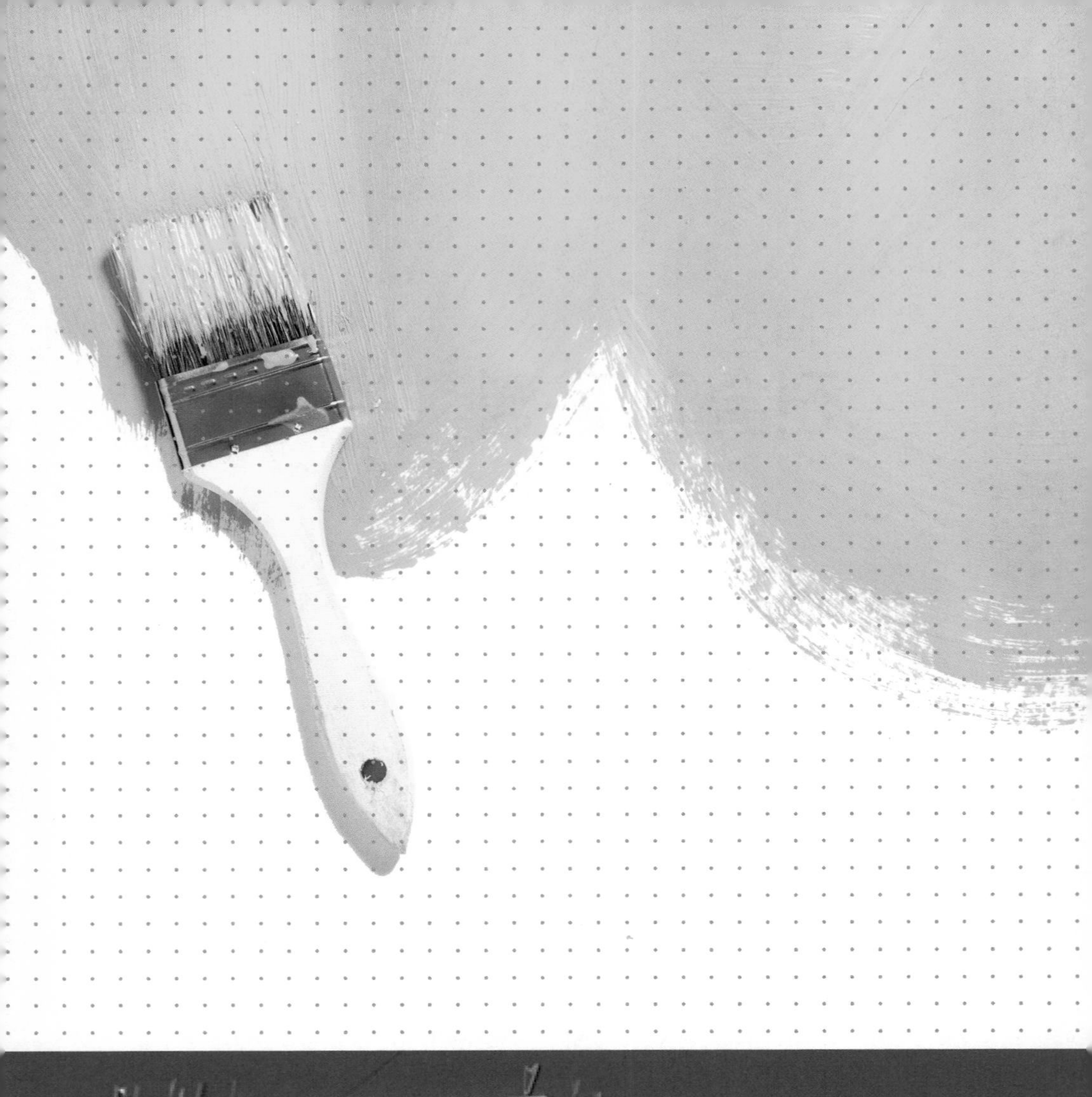

⑤안철수
안철수의 새정치,
이제 실천입니다!
5 안철수
안철수의 새정치,
이제 실천입니다!

조직

선거의 실제 진행을 위한 전술적 조직·인원은 어떻게 배치할까? 현장 실행을 위한 기본적 지침(매뉴얼)은 준비되었는가?

전쟁터에 비유하자면, 실제 전투를 치를 대대와 중대급 부대를 배치하고 전투교범을 만드는 작업을 하는 것이다.

조직 구성

전투를 치르기 전에 부대 배치를 하듯이 선거에 필요한 조직과 팀을 구성하고 협의·결재 등을 위한 조직도를 만들어본다.

Note

선거 조직은 각 선거 팀마다 필요한 상황에 맞춰 구성할 필요가 있다. (필자가 구성하여 제시한 조직도는 어느 캠프에서나 정답이 되지는 못할 수 있다는 말이다.)

내부 스텝의 경우 가능한 컴팩트하게 구성하되, 외부적으로 발표하거나 외부인사 영입을 염두에 두고 별도로 통 큰 조직도를 만들어 놓을 필요가 있다. 다시 말해서 지역 유지나 인지도 높은 유명 인사들을 위한 선거본부 조직도를 별도로 준비하여 활용할 필요도 있다.

조직을 구성할 때 반드시 명심해야 할 사항이 있다. 후보 가족이 선거 캠프에 직·간접으로 간여해서는 조직이 제대로 돌아갈 수 없다는 점이다. 후보 입장에서는 믿을 사람은 가족이라고 할지 모르겠지만, 그 말은 후보가 가족 말고는 누구도 믿지 않는다는 말이 된다. 따라서 후보와 스텝 간의 신뢰 문제로 비화할 수도 있다.

뿐만 아니라 캠프에서 문제가 생길 경우 대부분의 책임은 후보 가족에게 돌아갈 수밖에 없다. 이러한 문제가 만약 선거법과 관련되어 있다면 더 큰 문제다. 후보 가족이 선거법에 걸렸다면, 후보가 당선되었더라도 나중에 당선 무효와 관련된 송사에 후보가 직접 휘말릴 수도 있다. 후보의 판단과 상관없는 문제라고 하더라도 선거법상 후보 직계가족의 선거법 위반은 후보의 당선 무효 범위에 들어간다.

각 조직별 임무와 조직 구성 요건

선거 캠프 내에서 각 팀을 맡아야 할 적절한 담당자를 구분하고, 각 담당자들의 역할과 임무를 정리한다.

아무리 좋은 전략과 훌륭한 인재가 있더라도 효과적인 전술 운영 시스템과 유기적인 조직화가 이루어지지 않으면 무용지물이다.

선거 책임자를 찾아라.

선거 책임자가 없으면 전문 컨설턴트에게 대행이라도 시켜야 한다. 선거 책임자는 선거 전반의 운용, 전략 실행, 구성원 감독, 컨설턴트 조정 역할과 함께 상근常勤하며 상황실장狀況室長 역할을 맡는다.

'**의인물용**疑人勿用 **용인물의**用人勿疑'

선거 캠프의 조직 담당과 역할의 정의

Ⓐ **핵심그룹**inner circle : 브레인 역할. 이너 서클 구성원은 캠프 내에서의 다른 역할과 겸임도 가능하다. 전략 수립, 메시지 개발, 토론회 준비, 언론·홍보 자료 원안 작성 등의 역할을 한다. 현안과 이슈의 대안을 적시에 제시. 후보자와 상황실장(선거 책임자) 등과 실시간 소통한다. 반드시 상근할 필요는 없으나 현안·문제 발생 시 즉각 소집이 가능해야 한다. 구성원은 상황에 따라 조정이 가능하나 인원이 많을 경우 팀

장을 한 명 선정한다.

Ⓚ 사무장 : 캠프 사무소의 속칭 '마담'역할이다. 지역 유지, 지지자 대표 등으로 정한다. 술 상무 역할도 맡는다. 외견상 공식적인 선거 캠프 책임자. 선거와 선거법을 어느 정도 인지하는 게 필수다. 지역 유지 등 캠프 사무소 손님을 공식적으로 맞이해야 하므로 어느 정도 연령이 있는 사람이 좋다. 상황실장 역할을 겸하는 경우도 있으나 추천하지 않는다.(상황실장[선거책임자]은 선거를 책임지고 운영하는 역할, 사무장은 캠프 내에서 후보를 대신하는 상징적 역할.) 사무장은 상황에 따라 (비주얼과 언변 능력을 겸비한 경우) 캠프의 대변인 역할도 가능하다.

Ⓚ 회계·법률 담당 : 회계 담당은 사무장이나 후보자가 겸임하는 경우가 많다. 회계 담당은 전문가가 아니더라도 사전에 회계 전문가(회계사나 선거 법률 전문가)에게 간단한 컨설팅 교육을 받고 해당 지식을 숙지하면 된다. 법률 담당은 변호사나 변호사 사무장, 선거 경험이 많고 선거법에 정통한 사람 등 전문가가 좋다. 법률 담당은 상근할 필요 없고, 유선有線상으로 상담할 수 있는 정도면 충분하다(다른 업무와 겸임 가능). 선거 운동 중 급하게 선거법 관련 해석이 필요한 경우에는 캠프 담당자가 선관위에 문의하면 된다.

Ⓚ 후보의 사전 준비와 이동 일정 조정 담당자(수행 팀) : 수행

팀은 후보의 손·발·눈·귀가 되어 줘야 하며 후보를 대신해 민원접수 역할도 해야 하는 중요한 자리다. 후보자 일정 관리, 후보자 상태 체크, 동선 운영, 경호, 차량 관리, 방문 지역 사전답사, 후보자 일정 사후관리 등 가능하면 4명 이상 전문요원이 있으면 좋다. (후보 일정 계획은 사전에 상황실·이너서클이 만들고 이를 수행 팀·수행팀장과 조율한다.)

▸ 수행팀장 : 수행 팀 지휘. 후보 도착 예정 지역에서 지지자들을 지원하고 후보 이동 일정 조정 담당

▸ 비서 : 수행비서(수행원과 다름). 현장 스케줄 관리, 필요 시 후보 경호 업무, 민원 접수, 후보자 전화기 관리, 명함 관리, 후보자 근접 수행, 후보자에 위로·격려·힘 북돋워 주기, 후보자 트위터 작성·관리 등.

▸ 수행원 : 비서와 다름. 공식적으로 후보자와 함께 명함을 배포할 수 있는 선거 운동 요원. 후보자와 함께 명함을 배포하고 지지를 호소하는 멘트를 한다(멘트는 후보자보다 더욱 적극적이고 확실하게).

▸ 후보 차량 운전기사 : 반드시 별도로 두어야 한다. 후보 수행은 하지 않고 후보가 편하게 쉬면서 이동할 수 있도록 철저히 대비해야 한다. 차량 관리, 능숙한 운전, 선거구 지리 숙지, 이동 지역 사전 확인 등은 필수必須 사항.

▸ 기타 : 촬영기사, 경호원, 후보 이동지역 사전 준비 요원은 필요에 따라 고용. 수행 팀은 이너서클·상황실과 상시 소통 관계 유지하고, 후보자에 정확한 메시지 전달. 상황 팀에 민원 전달.

Ⓚ **후행 팀** : 후보가 미처 챙기지 못한 유권자 명함이나 신상 등을 후보가 지나간 다음에 정리한다.

Ⓚ **상황실**(종합상황실) : 사실상 선거 총괄 지휘 본부. 선거 진행 과정에서 돌발 변수 위기관리, 공정선거 감시단 조직 운영, 투개표 관리, 위기 돌발 상황 파악과 대처 등. 캠프 내에 독립 공간을 확보해 관계자 외 출입 통제. 상황실은 홍보팀, 이너서클 등과 같은 공간 활용 가능. 상황실장은 실제적으로 캠프를 총괄 지휘해야 하기 때문에 그만한 권한과 책임을 부여해야 한다.

Ⓚ 커뮤니케이션 담당(홍보팀)

▸ **홍보팀장** : 언론과 광고 등 전체적 흐름 감독하고 조정한다. 선거 유경험자가 유리하고, 상황실장이 겸임 가능. 홍보팀장은 필요에 따라 비공식적 홍보(네거티브 등) 등의 전술 실행도 가능한 능숙함이 요구된다. IMC 운영의 일관성을 위해 타 업무와 겸임 가능하나 홍보나 IMC의 전술적 이해가 필요하다. 각종 홍보물, 인쇄물(후보 책자, 정책 자료집 등) 집행·관리. 주요 이벤트 행사 기획·연출(후보자 일정 중에 필요한 특별 행사도 진행)

▸ **온라인 담당** : 후보 홈페이지, 블로그 등 관리. 팬 카페 등과 소통. 웹상의 후보 관련 내용 모니터

▸ **공보 담당·대변인** : 언론 관련 활동 담당, 기사 작성·배포, 기자와 관계 유지, 보도기사 관리·대책 등. 공보담당과 대변인

은 겸임 가능하나 비주얼·언변 능력 등이 필요하다. 대변인은 공식적이므로 항상 정장 유지. 언론 계통에 정통하면 유리하다(비주얼 갖춘 여성도 좋음). 대변인은 많은 시간을 후보와 동행하며 후보를 대변하는 특정 상황에서 토론 형식 협상 등의 역할을 한다. 커뮤니케이션 담당(홍보팀)은 상황실장과 직접적인 수직관계로 실시간 소통 가능해야 하며 이너서클과 충분한 공감 교분이 필요하다.

■ **총선 급 캠프에서는 '기획·홍보·공보물 제작·기사 제작과 배포·온라인 진행'등은 선거 유경험자 1~2명 정도 포함된 3~4명이면 충분히 운영 가능**(그 이상 내근 인원은 낭비).

☮ 유권자 관리(조직 팀) : 공조직, 사조직 등 유권자 네트워크를 통해 메시지를 전달하는 기능. 지역 및 조직 커뮤니티 책임자 선임. 메시지 전달과 피드백. 유권자와 의사소통. 부재자 투표, 감사 편지, 지지자 가벼운 모임, 집회, 투표 독려, 여론조사원(전화요원) 등 조직 담당. 자원 봉사자와 공식 선거운동원 관리. 유권자의 후보 지지 여부까지 기록·관리(정확한 판세를 예측할 수 있고, 투표 당일 상황실에서 파악이 원활함). 커넥터 발굴이 가장 중요(일명 '빅 마우스'를 잡아라!). 빅 마우스를 우리 편으로 만들고 당사자에게 소명감과 캠프에 필요하다는 인식 부여. 빅 마우스와 깊은 스킨십 활동(후보자와 직접 만남을 주선하여 후보자에게 공감되도록 해야 한다.

▶ 조직 팀장 : 효과적인 조직 팀 운영을 지휘하고 적절한 운동원 배치.

▸ **DB 관리** : 반드시 상근 직원이 하여야 하며, DB관리는 매우 철저하게(조직 팀장이 특별 관리).

▸ 현장 직원·풀뿌리 조직 : 선거구 내 지역·사회단체 등의 정치적 지원을 이끌어내는 역할. 현장 직원은 동별 거점 확보. 지역별 담당자와 거점별 책임자 선임.

▸ 조직팀장은 전화 홍보실 운영, 각종 운동요원 교육 담당. 조직 팀은 선거구 내 이슈, 관심 사항과 주민 욕구 사항 등을 파악하여 정책팀·이너서클에 전달. 조직 팀과 이너서클 간에 효율적인 소통 필수(메시지 전파의 효율적 운영).

☮ 정책·공약 팀 : 후보의 정책과 공약 개발. 사전에 지역 관심 사항과 요구 사항을 충분히 숙지한다. 토론회 준비. 상근일 필요는 없다. 때에 따라 이너서클이 맡을 수 있으나 정책·공약은 비교적 전문성이 요구된다.

☮ 기타 : 안내 데스크 운영. 선거 사무실 입구에 항상 운동원 대기(가능하면 여성). 전화 받기. 손님 응대. 맥가이버 한 명은 필요하다(학교에서의 소사 역할).

'삼류는 자신의 능력을 발휘하고, 이류는 남의 힘을 사용하며, 일류는 남의 능력을 활용한다.'

메시지 운영 안

메시지는 어떻게 만드는 것이 좋을까?

바꾸지 말고 계속 사용할 기본 메시지와 상황에 따라 변화시킬 수 있는 메시지가 각각 필요하다. 기본 구호와 슬로건, 그리고 기초적 메시지는 절대로 바꾸면 안 된다. 그러나 지역별, 상황별, 시기별로 사용해야 할 메시지는 곳에 따라 때때로 새로운 메시지를 창출하고 전파한다. 새로운 메시지라 하더라도 기본 메시지와 후보 컨셉, 구호, 슬로건 등과 동떨어져서는 절대로 안 되며 어쩔 수 없는 상황이라 하더라도 최대한 기본 컨셉들과 공감 부분을 접목한 메시지로 제작해야 한다.

메시지 전파 수단, 시기, 지역, 상황별로 각각의 메시지가 그 목적과 방법에 맞고 적절하게 제작한다. 이너서클은 이처럼 각각의 메시지를 사전에 만들어 놓고, 현장의 요구에 따라 새로운 메시지를 즉각 제작하여 전달한다.

각 상황별 메시지

선거구 내의 각 읍·면·동마다 지역민 요구와 희망사항이 다르므로 그에 맞는 슬로건(현수막·명함용·어깨띠) 과 구전 활용 메시지, 후보자와 유세 현장에서 활용할 멘트 등을 개별적으로 모두 제작한다.

SMS(문자메시지) 용, 언론 배포 용, 광고용(신문·인터넷), 이메일용으로도 메시지를 제작한다. 종교별, 세대별, 정치 상대별(상대 후보나 정부), 거점별, 성별, 선거운동 시기별로도 특색 있는 메시지를 제작한다.

이너서클은 이런 모든 상황별 메시지가 운영 팀에 잘 전달되고 활용되는지 정기적으로 피드백하고, 현장 상황을 주시하면서 현장이 요구하는 메시지를 신속하게 제작하여 전달한다. 이런 일련의 상황은 각 선거운동 조직을 통합 조정할 수 있는 상황실(상황실장)에서 늘 모니터링이 되어야 하고 어느 곳에서든 정체 현상이 없도록 조정해야 한다.

구전 활용 메시지는 간단하나마 스토리가 필요하다. 모든 메시지는 아무리 좋은 문구로 차별화하더라도 듣는 사람이 공감할 수 없으면 아무 소용이 없다.

- 한 번 들었을 때 바로 공감이 가는 메시지가 좋은 메시지!
- 잦은 문자보다 효과적인 이메일이 더 나을 수도 있다. 문자는 효과적이라기보다 오히려 반감을 살 수도 있다.

'섹시한 문구보다 더 중요한 것은 [공감]할 수 있는 문구다!'

Note

선거 중에 메시지는 많은 곳에서 필요하다. 후보가 유세를 하거나 유권자를 만날 때 사용할 기본적 메시지와 특정 지역 방문이나 특정 계층, 특정 언론 등에 활용할 메시지, 후보 외에 캠프가 공식·비공식으로 활용할 메시지, 조직 팀에서 활용할 메시지(상황별 구전 홍보용 메시지), 지원 유세를 온 유명 인사나 지역 인사들이 사용할 메시지, 공보물·홍보물 등에 들어갈 메시지, 공보팀에서 언론 배포용 자료에 사용할 메시지 등 매우 다양하고 많은 종류의 메시지가 필요하다.

이러한 모든 메시지의 기조基調나 중심 내용에 대해서는 한 가지를 지향하고 있어야 하고 유권자들에게 특정한 한 가지의 귀결점으로 이해되도록 해야 한다는 것이 중요하다. 다시 강조하지만, 유권자에게는 후보에 대해 한 가지만 정확하게 전달해도 성공했다고 할 수 있다. 유권자들이 후보의 긍정적인 부분이나 후보의 선거 기조를 한 가지라도 확실하게 기억하고 있다면 성공한 것이다.

홍보 운영 안

선거나 비즈니스나 효과적인 홍보가 중요하다.

홍보 전문가가 아니더라도 효과적인 홍보는 얼마든지 가능하다.

홍보의 성공은 '협공'에 달려

IMC(Integrated Marketing Communication)는 효과적인 협공을 위한 마케팅 툴이다. 통합 마케팅 커뮤니케이션(IMC)의 궁극적 목적은 '하나만 정확하게 전달하기'라고 할 수 있다.

IMC는 그 브랜드가 갖고 있는 수많은 내용 중 오직 하나를 중심으로 제품을 기억하도록 유도하는 마케팅 활동이다. 다양한 유권자의 본질적 요구를 찾아내고, 그것을 다방면에서 하나의 개념으로 건드려 주는 것이다.

이것, 저것 모든 매체를 써야 하는 것만이 IMC가 아니다. IMC 운영은 유권자들에게 후보자에 대한 이미지와 인식을 확실하게 기억시키기 위한 효과적인 선거 운동 방법과 유사한 목적성을 갖는다.

IMC는 일관성 유지를 위해 '우직하고 뚝심 있게 반복하라'는 전술적 운영 방법이다. 홍보와 메시지 전파는 각 담당자가 진행하지만, 이런 일련의 모든 선거 운동이 하나의 메시지와 컨셉으로 일관되게 운영될 수 있도록 하는 총지휘자(상황실장)의 역할이 매우 중요하다.

IMC는 개념이나 실행이 어려운 것이 절대 아니다. 다양한 커뮤니케이션 수단에 대한 전략적 역할을 이해하고 일관성을 갖춘 컨셉과 메시지를 수단별로 그에 맞는 효과적인 형태로 각색하여 유권자(소비자)에게 전파하는 것이다.

결코 어려운 것이 아니다!

- 언론 보도나 광고, 인터넷 광고, 이메일, SNS 등에는 3~5편에 걸친 시리즈 형식(일관성 유지)
- 현수막, 명함, 포스터 등은 결론적이며 확실한(그리고 공감되는) 한 번의 짧은 문구
- 강렬한 슬로건과 구호, 스토리가 잘 엮여진 구전 활용 메시지(구전 활용 메시지는 슬로건용으로 하나 더)
- 토론회 등에서 후보자가 반복 사용할 슬로건, 현장 유세용

멘트

▶ 이 모든 홍보 방법들을 통해 전달받는 유권자들이 결국은 하나의 후보자 컨셉으로 연결되고 연상되도록 하는 것이다. 활용한 메시지들이 효과적으로 활용되고 제대로 활용되는지 확인한다(피드백).

Note

선거가 끝나고 나서 유권자들이 후보에 대한 느낌이나 이미지, 슬로건, 캐릭터 등 어느 것이든 간에 후보가 알리려고 했던 한 가지의 컨셉을 기억하고 있다면 그 후보 캠프는 홍보에 성공한 것이다.

후보가 당선이 되었든, 낙선되었든 유권자들은 4년 후에도 그 후보를 기억할 것이고, 그러면 후보는 4년 후엔 좀 더 수월한 선거를 할 수 있을 것이다.

기억하시라!

선거에서 후보가 말하고 싶은 것을 모두 유권자들에게 말할 수는 있겠지만, 유권자가 기억하고 이해하는 것은 아무 것도 없다. 그러므로 선거에 활용할 수 있는 모든 방법을 통해 한 가지만 정확하게 유권자에게 전달하여, 후보를 확실하게 인지하게 하고 공감할 수 있도록 만들어야 한다.

언론 홍보 운영 안

선거에서 공보는, 전쟁에서 공중전과 같다.

설사 공중전 전력이 약하다고 포기하지는 말라. 단 한 번의 공중전이라도 우리에게 유리하도록 해야 한다.

- 지속적으로 통일된 양식의 보도 자료를 보낸다. 기자가 보지 않을 것이라고 단언하지 말라.

보도자료 작성 원칙

- 눈에 띄게 만들어라. 보도 자료 양식을 만들고, 바꾸지 않는다. 깔끔한 디자인, 제목은 큼직하게, 본문은 12~13 포인트. 사진은 첫 면에 게재(여러 장의 이미지는 첫 사진 빼고 첨부). 기자 입장에서 써라(기사체, 기자가 각색하지 않고 오탈자만 확인한 다음 바로 기사를 올릴 수 있을 정도). 보내는 사람과 기사 제목을 명확하게 하라. 이메일과 팩스 모두 활용한다. 한 장으로 요약하고 자료를 덧붙여라.
- 이메일로 보낼 경우, 보내는 메일 주소 고정(기자도 스팸 메일에 시달린다).
- 보내는 이메일 주소는 국내 메이저급 포털을 사용하라. 그래야 메일 수신 여부 확인할 수 있고, 기타 여러 기능이 많다. 기자의 이메일 수신 여부를 확인하고, 메일을 한 번도 확인하지 않은 기자에겐 보내는 사람의 메일 주소를 다른 것

으로 바꿔서 다시 발송. 또 확인하지 않는 기자가 소속된 언론의 다른 기자에게도 발송한다. 전화 연락 가능한 기자는 메일 발송 후 직접 전화하여 확인한다(문자라도). 지역 언론이나 친한 언론(기자)의 경우 반드시 발송 전후 연락하여 보도를 부탁한다.

- 특정 언론과 유대관계를 친밀하게 맺은 후 중요할 때 활용한다(위기 발생 시·필수 내용 홍보 시).
- 지역 언론이나 규모가 크지 않은 언론의 경우, 해당 언론이 만든 것처럼 해서 특집기사 형식으로 직접 내용을 기획하고 기사를 만들어 보낸 다음 보도되도록 적극 작업한다.
- 후보자나 대변인이 기자회견을 할 때 사전에 기자들에게 약간의 스포성? 자료를 흘려라(중요 정보는 금물).

Note

노원(병) 안철수 후보의 경우 가만히 있어도 언론의 관심을 받았다. 그러나 수많은 후보들이 출마하는 전국 동시 선거에서는 기대할 수 없는 일이다.

언론 보도의 기회가 별로 많지 않다고 하여 보도 자료 작업을 포기해서는 안 된다. 하루에 한 번씩 무슨 이야기든 정기적으로 보도 자료를 배포하여야 한다. 당장 기사화되지 않는다고 하여도, 기자들은 다 보고 있다. 그리고 언젠가는 활용하게 될 것이다. 나중에 언론으로부터 자료를 요청받아 부랴부랴 만들지 말고 기자가 보거나, 보지 않거나 꾸준하게 보도 자료를 보내야 한다.

단, 하루에 2회 이상 보내는 것은 삼가하고 보도자료 배포에 대한 5~10일 정도의 프로세스를 준비하여 진행하는 것이 좋다.

구전 홍보 운영 안

구전 홍보는 전쟁에서 심리전과 마찬가지다.

구전 홍보는 잘만 하면 승리의 결정적인 요인이 되기도 한다. 구전 홍보에서 중요한 것은 스토리와 매개체(전달, 전달자) 다. 구전 홍보는 포지티브, 네거티브가 모두 가능하고, 때론 선거·정치와 상관없어 보이는 메시지로 은근한 심리적 우위와 압박을 주기도 한다.

'상대를 규정하라'그리고 '듣는 이를 가르치려 하지 마라'

빅 마우스를 선별하고 찾아라!
회장, 총무, 카페 운영자, 택시기사 등.

유포지역(주거지 인근상가·시장) 과 **전파지역**(도심상가)을 정하고 동별 거점을 확보한다(미용실·부동산 등).

빅 마우스와 깊은 스킨십 필요

빅 마우스를 확실한 우리 편으로 만들어라. 많은 장소의 이동보다는 고정된 거점에서 활동하여 거점의 분위기를 깊이 장악한다. 빅 마우스와 후보자의 만남을 주선한다. 후보자를 공감하게 하고 후보자가 특별한 관심을 갖고 있음을 보여줘라.

구전 홍보

구전 홍보 핵심 포인트**Point**는 스토리와 빅 마우스. 구전의 주 대상은 여성, 특히 주부(주부 대상 스토리, 언어, 브랜드 필요). 온라인 구조도 효과적 활용(커뮤니티, 블로그, 메신저, UCC 등 각 방법마다 종류별 세분화 필요)

유권자의 심리 특성을 활용하라.

사람은 다수가 선택한 것이라면 여과 없이 받아들이는 특성. "뭐뭐 하더라…"하는 식에 대해 재미와 흥미를 갖고 있으며, 그것을 나만 모르면 소외감 느낀다. 타인의 정보에 의존한 결정은 자신을 정당화하고 안정감을 준다(외부 사람들로부터의 정보에 의지하는 경향). 따라 하기 좋아한다(왕따 당하지 않으려고 한다).

공감이 가는 스토리로 만들어라.

억지 내용은 금물. 복잡한 수치가 들어가거나 막연한 내용도 금물. 상상력을 자극하라. 특정 스토리는 결말을 내리지 않고 듣는 이가 충분히 상상하여 결론을 내릴 수 있게 만들어라.

구전홍보를 하기 전에 매개자(전달자)의 확보가 중요하다.

예를 들어 노원(병) 같은 경우는 30~40대 층이 많으므로 초·중교 학급 회장, 부회장의 학부모나 학교 회장 학부모, 학부모 운영위원회 임원 등이 빅 마우스 역할을 해준다. 다른 선거구들도 각 지역의 특성에 따라, 이러한 빅 마우스의 역할을 해줄 사람이 다양하게 있다.

문제는 그들을 우리 편으로 만들고 밀접한 스킨십을 가지는 일이다. 후보와 자주 자연스러운 만남도 가지게 하고, 그들에게서 나오는 지역 주민의 이야기(정보) 도 많이 들어야 한다. 그리고 빅 마우스에게 누구나 공감할 만한 재미있는 구전 스토리를 짜서 전달하라. 옛날이야기를 하듯이. 그러면 전달해 달라고 하지 않아도 그 스토리는 천리까지 퍼져 있을 것이다.

여론조사 활용 안

여론조사는 선거 결과를 예측하기 위한 것이 아니다.
여론조사는 선거 진행 방법 중의 하나다.

생각 없는 여론조사 활용은 독毒.

그저 여론조사를 많이 하면 후보가 알려질 것이라는 생각은 금물. 선거 때의 여론조사는 유권자들에게 또 다른 공해로 역효과에 주의하라. 여론조사는 스마트하게 활용하라.

여론조사 회사

- 여론조사를 7~8회 이상 한다고 감안하면 3개 정도 회사와 진행. 여론조사에 비용을 아끼지 마라. 돈 아까우면 출마하지 않으면 된다. 홍보용이라면 응답자 수를 가능한 한 많이 잡고, 설문 문구를 최대한 짧게 하여 수신자의 부담을 없애라. 후보자 이름이 자연스럽게 4~5회 이상만 노출되는 정도로 문구를 줄여라.
- KT 등재 번호 사용은 1~2회만 하고, (비싸지만) KT 미등재 번호와 휴대폰 번호를 적극 사용하라. 조직을 통해 확보한 데이터를 적극 활용하고, 이미 지지를 확실히 표명한 대상은 데이터에 넣을 필요 없다. 주거지에 주차된 차량 연락처를 적극 수집해 활용한다(여론조사 데이터에 잘 잡히지 않는 직장인 계층임).
- 문구는 반드시 전문가와 상의하고, 가능한 한 전문가가 작성하는 게 좋다. 홍보용 여론조사는 전화 면접 방식도 사용한다. 비싸지만 수신자에게 확실한 전달 효과가 있다. 시기별로 중요 포인트에서 객관적 여론조사 1~2회 정도 진행.

언론사와 여론조사 적극 활용

활용 가능한 언론사나 언론사와 유대 관계가 좋은 여론조사기관을 이용한다. 이들이 직접 조사한 것처럼 진행하고 이 자료의 보도를 전제로 계약한다(우리에게 유리한 결과일 경우). 언론 배포용

(비교적 객관적) 여론조사를 진행할 경우 최소한 1~2회 정도 홍보용 여론조사를 진행한 다음 해당 데이터를 활용하여 실시한다(좋은 결과 유도 가능, 조직 팀에서 우리 지지자로 구분한 데이터 적극 활용). 언론 보도용 여론조사의 헤드라인과 카피는 가능하면 우리(캠프)가 만들어라. 불리한 내용은 보도하지 않는다(없는 것을 만들어 보도하면 문제지만 있는 내용을 보도하지 않는 것은 상관없음). 어떤 방식의 여론조사든, 우리에게 유리한 결과라면 보도가 되건 안 되건 보도 자료를 만들어 배포한다.

Note

여론조사는 여러 목적으로 활용할 수 있다. 후보 홍보용, 현재의 구도 변화와 유권자 정치 성향의 변화 알아보기, 상대 압박용, 우리 캠프의 사기 진작이나 긴장감 유발용, 그리고 우리의 약점을 파악하거나 상대의 강점을 파악하기 등 여러 가지 용도로 활용할 수 있다. 다만, 그 용도에 따라 여론조사의 진행 방법이 조금씩은 달라져야 한다.

한 가지 방법의 여론조사로 앞에 내용들을 다 파악할 수는 없다. 그리고 여론조사는 분명히 비용이 들어가는 작업이다. 그런 만큼 캠프가 여론조사를 어떠한 목적으로 어떻게 진행할 것인지를 확실히 해둘 필요가 있다.

전국적 선거에서 여론조사 회사가 내놓은 패키지 상품은 사용하지 않도록 권한다. 다 아는 얘기지만 싼 게 비지떡이다. 캠프가 활용할 용도에 맞는, 맞춤 여론조사를 진행하여 필요한 것을 얻을 수 있도록 여론조사의 스마트한 활용이 중요하다.

사이버 운영

사이버 운영은 어떻게 해야 할까?
말 많고 탈 많은 SNS는 해야 하나, 말아야 하나?

국회의원 선거의 온라인 담당은 한 명이면 충분!

기본적으로 홈페이지에는 올릴 것은 다 올린다. 블로그를 공식 홈피로 활용해도 무방하다. 단, 공식 홈피가 있더라도 추가로 블로그는 반드시 운영한다. 블로그는 네이버와 다음(또는 메타 블로그) 두 개 이상은 활용한다(검색 시 유리). 팬 카페 운영은 직접 하지 않더라도 반드시 하나 정도는 있어야 한다(팬 카페는 '다음·네이버'로 하라). 온라인 담당자는 적당한 업무 배분을 하여 다른 업무와 같이 하도록 한다(캠프에서 온라인만 하는 것은 낭비). 홈페이지에 자유게시판은 아예 없애든가, 있다면 안티 성 반응(글) 도 그대로 둬라. 지나친 마타도어나 네거티브는 처리하되, 지나친 관리자 권한은 금물. 홈페이지의 디자인만큼은 신경을 써라. 상대방의 홈피(블로그·카페 포함) 와 SNS는 항상 모니터하라. 우호적 블로그(가능한 파워 블로그) 하나 정도는 반드시 확보하고 적절하게 활용하라.

SNS는?

후보자가 이미 SNS에 익숙하고 자주 사용하거나 잘 사용한다면 적극 활용한다. 후보자는 평상시처럼 SNS를 할 시간이 없으므로 수행비서가 대신 관리한다. 후보의 얘기를 듣고 비서가 대신 올리기, 후보에게 SNS 내용 알려주기 등. 중요한 내용은 후보(수행비서) 가 직접 올리지 말고 이너서클이나 상황실의 지시를 따른다. 이너서클과 상황실은 후보 관련 SNS 내용을 늘 모니터링하고 필요한 시기에 적절한 내용을 만들어 올린다. 후보가 활용 중인 기존 SNS가 없다면 과감히 포기한다. SNS의 파급력은 우리에게 늘 유리한 것만은 아니라는 것을 염두에 두라(반드시 SNS 전문가의 컨설팅을 받아 보라).

☮ SNS을 통해 우리에게 불리한 내용이 발생할 경우 반드시 즉각 처리하라. 우리의 실수나 최악의 약점이 SNS를 통해 노출된 경우 즉시 그 부분을 진심으로 사과하고(모든 매체를 통해 실수를 인정하고 사과) 최대한 조속히 종결하라. 이럴 경우, 만약 변명을 하거나 회피할 경우 최악의 상황으로 가게 된다(이 점은 이미 많은 사례가 있다). 그래서 SNS의 마케팅적 활용은 매우 주의할 필요가 있다.

SNS 자원봉사

SNS 자원봉사

SNS는 국회의원급 선거에서 큰 영향은 주지 못하지만, 그래도 없는 것보다는 있는 것이 좋다. 자원봉사 지원자 중 특별한 선거 경험이 없고, 딱히 맡길 역할이 제한될 경우에 활용한다. 선거 사무실 내에서 해당 후보를 위한 SNS 활동은 선거법 상 전혀 문제가 없다. 트위터나 페이스북 등은 아이피(IP) 가 동일해도 다 계정으로 동시 접속에 문제가 없고 SNS 활동으로 아이피 번호가 유출되거나 도의상 문제될 것이 없다. 사무실 내 특정 공간에 SNS 자원봉사 자리를 마련하여 적극적으로 SNS 활동을 장려한다.

☮ 다만 최소한의 기본적 선거 지식(선거법 접촉 여부와 전략적으로 사용하거나 사용하지 말아야 할 메시지 등) 교육은 진행한다(10~20분 정도). SNS 자원봉사단장을 1명 지정하여 그날의 활동 내용에 대한 전달·체크를 맡긴다.

모든 캠프 인원은 기본적으로 적극적 SNS 활동

나부터 하지 않는데 누구를 시키고 우리 편 숫자가 적다고 낙담하는 것은 금물이다. SNS 단장은 모든 캠프 인원의 SNS 계정을 받아 캠프 인원 간에 능동적이고 적극적인 SNS 활동을 하도록 장려하고 체크한다.

☮ 그러나 캠프 인원 모두가 SNS를 검색하고 분석하며 걱정만 하거나 대장 노릇만 하려는 캠프는 기대할 것이 없다.

지금 캠프에 이런 사람이 있는지 확인하라!

무슨 일을 하는지도 모르겠는데 모니터만 열심히 쳐다보는 구성원을 확인하라. 그런 사람이 있다면 SNS 자원봉사를 시키거나, 거리 유세에 내보내거나, 지인 찾기 50명 목표를 주거나 하라! 그런 일을 아무 것도 못 하거나 하지 않는다면 후보가 사퇴하든지,

구성원이 나가든지 하라. 캠프가 위험하니까.

Note

전국적으로 선거가 치러질 때 기초단체장급 이하의 선거에서는 SNS에 절대 크게 비중을 둘 필요가 없다.

후보를 비난하는 글이 있어도 그냥 넘겨라. 지역 선거에서 해당 후보들이 언급되는 경우는 빤한 것들이다. 괜히 캠프의 전력 분산을 가져올 필요 없다.

온라인과 SNS는 한 명 정도에게 맡기고 모두들 유권자가 있는 현장으로 나가서 표를 모아 오는 게 훨씬 낫다. 그것이 실제 효용성이다. 그리고 캠프 스텝들도 평소에 여론을 살핀답시고 쓸데없이 SNS 들여다보지 마라. 요즘 SNS는 여론이 아니다.

다만 SNS 들여다볼 여유가 있다면, SNS에서 적극적으로 활동을 하라. 그래도 안 하는 것보다는 나으니까.

토론회

우리 후보는 토론회에 강점이 있는가, 약점이 있는가?
토론회에 어떻게 대처할 것인가?

토론회를 할 것인가, 말 것인가?

유권자가 후보자를 아는 데 도움이 된 경로로서 토론회가 높은 비율을 차지한다(제2장 (4) 번 참조). 그만큼 토론회는 인지도 낮은 후보에게, 그리고 후보자에 대한 유권자의 확실한 인지가 부족한 경우에 이를 극복할 수 있는 좋은 기회다. 반면에 확실한 우세의 후보에게는 필요성이 덜하다.

- 후보자가 토론회를 잘하지 못하거나, 토론회에 심각한 약점이 있다면 절대로 토론회는 하지 마라. 토론회를 거부해서 잃는 것보다 토론회를 못해서 잃는 것이 훨씬 크다.
- 토론회 거부할 때는 충분한 거부 사유를 만들고 상대방의 탓으로 돌려라. 확실한 1등 후보는 토론회에 강점이 있더라도 피할 수 있으면 피하는 게 좋다. 2, 3위 후보에게 기회만 주기 때문이다. 토론회에서는 상대를 공격할 기회가 있는 만큼, 상대가 나를 공격할 기회도 있다(철저히 대비하라!).

토론회 준비

선거 운동 전부터 꾸준히 연습한다(전문가에 의한 교육 필요). 평소 지역적 관심과 이슈, 문제 등을 충분히 숙지하고 대안을 검토한다. 지역 문제뿐만 아니라 나라 전체 문제, 이슈, 관심 등도 충분히 숙지하고 대비한다.

- 너무 완벽해 보일 필요는 없다. 그러나 어느 특정한 이슈를 하나라도 모르는 것이 있으면 안 된다. 토론회를 앞두고 정책, 공약, 대화 등 반드시 전문가를 초빙하여 준비한다. 토론회를 앞두고 하루 정도는 충분한 휴식과 준비를 한다.
- 상대의 약점을 철저하게 분석, 공략한다. 상대의 약점을 어설프게 건드리면 상대에게 변명의 기회를 주어 오히려 면죄

부만 주게 된다. 다양한 상황을 전제로 예행연습을 충분히 하여 상대의 공격에 대비하라.

Ⓚ 토론회 출연할 때의 복장, 헤어스타일 등에 대해 충분한 계획을 하고, 코디는 반드시 전문가에게 맡겨라. 토론회 중간중간 본인의 대표 슬로건과 대표 컨셉을 자주 노출하라(외쳐라!). 창피할 것은 없다. 유권자에게 확실한 인식을 심어주는 것이 가장 중요하다. 창피하다고 승리를 상대에게 갖다 바칠 것인가? 토론회 주최 방송사 쪽과 충분한 교감을 나누고, 방송관계자와 밀접한 관계를 맺어라.

Note

전국적으로 치러지는 선거에서 지역 토론은 주제나 형식에 너무 얽매이지 않는 것이 좋다. 어차피 시청률도 낮고, 토론회를 통해 유권자의 후보 선호가 결정되지 않는다. 다만 토론회를 통해 자신의 컨셉을 유지하고 상대 후보들과의 기氣 싸움에서 밀리지 않는 것을 목표로 하여야 한다.

모든 후보들이 한 곳에 모여 1시간 이상 같이 있게 되는 유일한 기회이다. 위축되지 않는 모습, 다른 후보보다 확실하게 메시지나 이미지 전달을 하는 데 중점을 두면서 상대에게 밀리지 않고 자신 있는 모습을 보이는 것이 중요하다.

Ⓚ 노원(병)에서 처음으로 있었던 토론회는 관심 있게 방송이 되지 않았고 2위 후보(여당 후보) 가 참가하지 않았다(두 번째

토론회에는 나왔다). 그런 상황에서 1위 후보는 잘했어도 좋은 애기를 듣지 못했다. 원론을 다시 상기할 필요가 있다. 1위 후보 입장에서는 크게 보도가 되지 않아 다행이지만, 3위와 4위 후보에게 좋은 일만 한 것이다. 더군다나 2위 후보도 안 나왔는데 나오지 않을 핑계가 좋지 않은가?

Ⓚ 2위 후보는 자신이 1위 후보도 아닌데 3위와 4위 후보의 공격이 무서웠을까? 유일한 보수 성향 후보이자 여당 후보임을 분명히 하며 1위 후보와 각을 세울 수 있는 기회였던 만큼 반드시 출연했어야 했다. 2위 후보가 전투를 겁낸다면 다른 방법으로 무슨 전투를 치르겠는가?

홍보물

어떤 것이 잘 만든 공보물·홍보물일까?
어떻게 만들어야 잘 만들었다고 할 수 있을까?

홍보물(공보물)은 화룡점정

유권자들에게 후보의 컨셉을 일관되게 전달해 주는 화룡점정의 종합선물세트가 홍보물(공보물) 이다. 공보물의 내용은 이너서클을 포함한 캠프 책임자들이 모두 모여 충분한 논의를 거쳐 결정한다. 공보물은 구성과 편집, 그리고 디자인이 중요하다(전체적 스토리 구조에도 유의).

- 공보물에 하고 싶은 모든 말을 다 넣을 수는 없다. 공보물 제작사(기획사)는 정말로 실력이 좋은 팀(회사)을 선정하라. 디자인에 신경 쓰고 다양한 사람들에게서 디자인에 대한 평가를 받아본 후 결정하라. 카피는 우선 제작사에 맡겨봐라(제작사에 전문 카피라이터 근무 여부 확인). 지나치게 디자인과 이미지로만 구성된 공보물은 누가 봐도 금방 안다. 공보물은 신경을 쓰는 만큼, 비용을 들이는 만큼 결과에서 차이가 난다.
- 공보물 제작을 위해 선거운동 전에 후보가 여러 종류의 사진(이미지)을 미리 준비한다. 스튜디오와 현장에서 다양한 상황을 전제로 한 이미지를 사전에 촬영해 둔다(전문 코디와 사진사에 의한 연출). 한정된 이미지로 만드는 공보물과 여러 이미지에서 좋은 걸 골라 만드는 공보물은 확실히 완성도에서 차이가 있다.

명함과 현수막

지역별, 거점별, 계층별, 세대별, 시간대별로 사용할 명함을 따로 만들어라. 기본 슬로건과 구호는 선거가 끝날 때까지 오로지 한 가지만 사용한다.

- 기본 슬로건과 함께 지역별로 각기 공약이나 이슈를 별도로 수록하여 해당 지역에 따라 적절히 활용한다.
- 유권자를 만나는 시간대나 만나는 장소에 따라 세대 또는 계층에 어울리는 명함을 사용한다.
- 거점별 유세마다 상황에 맞는 명함을 사용한다. 예를 들어 종교별로 활용할 적절한 메시지가 입력된 명함, 재래시장

방문용, 직장인 출근용 등.

- 공용으로 사용할 기본 명함은 반드시 필요하다.
- 현수막은 명함과 달리 문자 입력 공간이 적어 기본 컨셉에만 충실해야 하나 만약 입력이 가능할 경우 각 지역별 공약·이슈에 대한 간단한 언급 정도는 가능.

홍보 차량

홍보 차량에서 가장 중요한 것은 음향시설이다. 홍보 차량의 음향시설과 영상시설은 전문가가 아니면 주문 내역과 같은지 확인하기가 어려우므로, 사전에 대상 업체에 대한 신뢰도를 체크해야 한다.

- 차량 출고 때 외부 전문가를 초빙하여 시설내역에 대해 확인하는 것은 필수必須. 시설이나 규모가 열악한 제작 회사가 많고, 심지어 직접 제작하지 않고 영업 후 하청발주 방식으로 제작하는 업체도 있다. 값 비싼 차량이 중요하지는 않다. 디자인, 슬로건, 컨셉은 공보물 등과 통일시킨다.

어깨띠, 기타

기본 컨셉을 유지하는 게 중요하다. 어깨띠는 꼭 필요하나, 다른 것들은 필요하지 않으면 반드시 해야 할 필요는 없다.

선거음악(유세음악)

멜로디가 중요하자. 한 번 들으면 쉽게 기억할 수 있는 음원! 가사는 전문가가 만드는 것이 확실히 좋다. 너무 과감하거나 시험적인 성격의 음원은 피하라. 선거음악은 미리(빨리) 정해놓고, 다양한 사람들의 반응 체크한 다음 사용한다(반응이 좋지 않을 경우 즉시 교체!).

대행업체

전문 업체를 선택하고, 한 업체에 디자인을 모두 맡겨라(컨셉과 이미지 일관성 유지). 디자인이 마음에 들지 않으면 즉시 수정을 요청하고, 디자인 실력이 떨어지면 디자이너 교체를 요청하라. 그래도 안 되면 과감하게 업체를 바꿔라.

▶ 개인적으로 아는 사람의 회사는 이용하지 마라(문제 발생 시 교체도 어렵고 지시할 때도 껄끄럽다).

'디자인은 기획사의 실력이다. 디자인이 안 나오면 실력이 없는 기획사다. 미련을 두지 마라.'

Note

공보물(홍보물) 제작은 절대로 아는 업체에 맡기지 마라. 아는 업체에 맡기고 난 후에 뒷말이 없었던 캠프를 보지 못했다. 실력 있는 곳에서 하라. 확실히 다르다.

공보물에서 후보가 하고 싶은 말을 다하지는 못한다. 어찌어찌하여 하고 싶은 말을 다 올렸다고 해도 한가하게 다 읽어줄 유권자도 없다.

공보물은 앞에 얘기한 IMC(통합 마케팅 커뮤니케이션)의 하나로서 적절하게 활용해야 한다. 공보물은 유권자가 후보에 대해 받아들이는 거의 마지막 홍보 수단이다. 그러므로 후보의 홍보 전술의 화룡정점인 셈이다. 유권자들에게서는 후보자를 인지하고 선택하는 마지막 접촉점이다. 유권자들에게 후보에 대한 인식을 확실하게 심어줄 편집과 기획이 따라야 한다.

공보물 오탈자 잡아내기 아이디어

보통 인쇄 전 마지막 교정 작업을 할 때에, 캠프의 주요 스텝들이 모여 인쇄할 공보물을 최종적으로 한 번씩은 보게 된다. 바로 이때에 캠프 스텝과 상관없는 지역 유권자 5~6명이 함께 검토하는 것이다. 가능하다면 성별, 연령대별로 구분이 되는 유권자들이면 더 좋다.

공보물을 받게 될 선거구의 유권자에게 직접 검토를 받다보면, 지역명에 대한 표기 오류나 지역 공약에 대한 공감 여부, 공보물 디자인과 카피 등에 대한 느낌을 공보물 배포 전에 점검해 볼 수 있다.

글이라는 것은, 만든 사람들 눈에는 관성이 생겨 몇 번을 반복해서 보다보면 더 이상 문제점을 발견해내지 못하기도 한다. 그러나 공보물을 처음 보게 되는, 그리고 실제로 공보물을 받아 보게 되는 몇몇의 유권자에게 미리 보여준다면 혹시나 스텝들이 발견해내지 못하고 생각해내지 못한 실수를 잡아줄 것이다.

▶ 노원(병) 안철수 후보 캠프는 공보물에서 '마들'이라는 지명이 '노들'로 오자가 되어 잠깐 곤혹을 치르기도 했다. 이런 해프닝은 선거에 큰 영향은 미치지 못하는 작은 실수이지만, 잠시나마 이 문제로 상대에게 공격을 당하기도 했다. 이는 캠프의 홍보 파트가 선거 경험이 부족하거나 선거 업무를 잘 모르기 때문이다.

공보물 오탈자는 공보물 제작업체나 인쇄업체에서 실수를 할 경우는 적다. 기획사는 기본적으로 공보물의 내용을 받아서 그대로 복사 또는 붙이기를 하여 작업하기 때문이다(기획사 입장에선 그래야 오탈자 실수를 안 한다). 그러므로 기획사에게 해당 내용을 전송한 담당자가 선거구 내의 지역 현안이나 지역명을 잘 모르거나 관심이 없었다는 얘기다. 조직 팀이나 상황실, 기타 선거 경험자에게서는 나올 수 없는 실수다.

그래서 필자가 주장하는 IMC 개념의 홍보 방법이 중요하다. 공보물 제작 등을 어느 한 파트의 전용 업무로 하지 않고, 선거 경험자의 지휘에 따라 홍보 수단들을 통합한 운영과 관리가 필요하다. 그러면 오탈자 같은 작은 실수도 없고 캠프 내 각 팀들이 저마다 제각기 따로 놀지도 않게 된다.

후보 일정 잡기

후보 일정 잡기는 '선거 전술 실행의 절반!'

선거에서 후보의 일정은 그만큼 중요하기 때문에 신중하게 계획하고 캠프의 인원과 조직이 함께 공감하고 공유해야 한다.

함께 잡아라!

후보 일정은 중요한 만큼 캠프 내의 각 담당자들이 모두 모여서 함께 잡아야 한다. 캠프에서 하루를 마감하는 마지막 작업은 후보의 다음날 일정 잡기다. 각 담당자들은 회의 전에 각 조직별 현안을 정리하여 다음날 후보가 꼭 움직여야 할 부분을 공유한다.

- 지휘자(상황실장)의 주재로 회의를 진행한다. 후보는 회의에 참석하지 않고, 수행팀장이 참가한다. 상대 후보의 일정을 파악하라. 상황실장은 각 팀의 상황과 필요성을 감안하여 효과적으로 후보 일정을 조정한다. 후보가 반드시 해야 할 일이 있다면 해당 팀에서 회의 전에 모든 준비를 마쳐 놓고 진행한다.

후보 일정 이것만은 꼭!

가장 중요한 것(방문 지역)을 먼저 계획한다. 상대 후보가 최근에 매우 상징적이고 중요한 거점(장소)을 방문했다면, 바로 다음날 우리 후보를 방문시켜라. 상대의 방문 효과를 최대한 희석시키고 늦었더라도 우리가 과실을 차지해야 한다.

- 반면에 우리가 상대보다 먼저 중요 거점(장소) 이나 상징성 높은 곳을 방문한다면 일정을 방문 당일까지 최대한 숨겨라(방문 후에는 지속적 관리 필요). 유권자가 많지 않아도 상징적인 곳이라면 기꺼이 방문한다. 후보 유세는 반드시 기록으로 남긴다(사진, 동영상, 방명록 등).
- 상대 후보 일정은 미리 파악하고, 우리 일정은 사전 유출을 차단한다. 각 팀은 후보 일정이 확정되면 필요한 사항은 반드시 준비한다(밤을 새고, 빚을 내서라도. 방문 장소에 따른 메시지, 공약, 명함, 이벤트 준비, 차량, 인원, 언론 등).
- 효율적 동선(이동 거리 등 감안) 으로 계획한다. 이벤트 필요하거나 중요 행사이거나 광범위한 지역 방문일 경우 사전에 행사 팀이 동선을 파악하고 예행연습을 실시한다. 모든 스텝은 언제나 후보 일정을 숙지한다. 부득이 후보 일정이 변경되거나 축소될 경우, 수행 팀은 상황실과 논의한 후 움직여야 한다.

Note

후보 일정을 특정 팀(주로 일정 팀) 만의 독점적 업무로 두어서는 안 된다. 후보 일정은 지역 조직을 통해 후보 방문 요청이 있을 수도 있고, 정무적인 판단도 필요하며, 선거 전략이나 전술상으로 움직여야 하기도 하고, 후보의 적절한 체력 안배를 위한 이동 동선 등도 중요하기 때문이다.

따라서 상황실(장), 전략 기획팀(장), 조직 팀(장) 이나 조직 상황실(장), 수행 팀(장), 메시지 담당, 홍보 담당, 온라인·SNS 담당 등 캠프 내 주요 스텝들이 모여서 상의를 해가며 정해야 한다.

일정 팀은 이렇게 후보 일정 회의를 통해 나온 결론을 가지고 정리하여 후보는 물론, 중요 스텝들도 공유를 한다. 그런 다음 일정 팀은 후보의 일정에 따른 준비 사항을 각 팀 또는 담당들을 통해 점검하고 준비시켜야 한다.

일정 팀은 선거의 절반이라고 할 만큼 중요하다는 후보의 일정을 다루는 팀인 만큼 힘이 쏠리는 경향이 있을 수 있다. 이럴 경우, 후보 일정 중에서 선거에 중요한 전략적 포인트를 무시하거나, 다른 팀들과의 소통에 문제가 발생하기도 한다. 그러므로 일정 팀은 행정적 업무에 치중한 배치를 하고, 후보 일정과 관련해서는 주요 스텝들이 함께 모여 결정하는 것이 좋다.

수행

수행 팀은 후보를 어떻게 수행해야 할까?

수행 팀은 캠프에서 후보와 가장 오랫동안 같이 움직이고 생활한다. 수행은 점을 찍은 방식이 아니라 흐름을 타는 수행이 되어야 한다. 후보가 유권자나 방문지의 목표에 집착된 일정이 아니라 계속된 흐름을 유지하는 (수행) 일정이 되어야 한다.

후보의 의전에 너무 신경을 쓰면 유권자의 눈에는 후보가 권위적으로 보일 수도 있다. 후보가 지나간 다음에 후행 팀이 마무리한다.

선행 팀 : 후보 일정상의 방문지 사전 답사, 행사 사항 점검, 유권자 집결 유도, 후보 동선 사전 파악, 후보가 오면 선행 팀 중 1명이 사전 준비된 동선으로 후보를 유도하고 나머지 선행 팀은 다음 장소로 이동하여 사전 작업을 계속 진행한다.

수행 팀 : 항상 후보와 함께 움직이며, 이동 예정 지역 혹은 유권자 등에 대한 내용을 후보에게 사전 안내한다. 선행 팀과 유기적으로 통신을 유지하여 후보 도착 시각과 장소 등을 체크한다. 후보 유세 후 미약한 부분은 후행 팀에 전달하여 후행 팀의 활동 사항을 안내한다. 수행 팀은 후보가 최대한 편안한 상태로 일정을 소화하도록 최선을 다해야 한다.

후행 팀 : 후보가 미처 확인하지 못한 유권자 연락처, 명함 등을 수거한다. 후보가 지나간 후 현장 반응 체크한다. 후보 유세 후 해당 지역 유권자 등을 대상으로 디테일한 선거 안내 활동을 한다(선거법 저촉되지 않는 범위에서).

선행 팀의 역할을 고정하지 않고 후보 일정을 받아온 조직 팀의 담당자나, 일정에 속한 지역을 맡은 지역 담당자가 대신하는 것도 좋다. 그 담당자는 해당 일정에만 후보의 유세에 일시적으로 참가하여 후보와 함께 유세를 하는 것이다. 그래서 담당자의 해당 지역 내 지인들과 후보를 자연스럽게 인사시키며 후보의 유세를 도와주는 것이다.

지인 찾기

유권자 찾기는 고지 탈환만큼 중요하다.

지인 찾기는 우리 지역구의 실제 유권자를 찾아내는 일이다. 전쟁으로 치자면 유권자는 우리가 점령해야 할 고지이기 때문에, 유권자 찾기는 전쟁에서 고지를 탈환하는 것만큼 중요한 일이다.

선거 사무실 방문자를 막지 마라!

선거 지역의 유권자가 아니더라도 선거 사무실 방문자는 환영해야 한다. 방문자가 직접 유권자는 아니라 하더라도 해당 지역구에서 지인을 최대 100명 이상까지 찾아낼 수 있다.

캠프 인원부터 시작하라!

지금 선거 사무실에 앉아 있는 구성원들은 한 사람당 얼마나 많은 지인을 발굴하였는가? 지인 찾기 캠페인은 선거 사무원부터 시작해야 한다. 선거 사무원(자원봉사자 포함) 들이 그만큼 절박하지 않으면, 누가 와서 열정을 가지고 지인 찾기를 해주겠는가?

'선거 사무실 인원부터 **1**명당 **50**명 이상씩 선거구 내 지인들을 찾아내라!'

지인을 찾았다고 다 우리 편 아니다!

해당 DB를 받으며 각 지인에 대한 성향을 간략하게 표시한다. 우리 후보에 대한 적극 지지 A, 지지 의향 B, 비판적 지지 C, 지지 유보 D, 타 후보 지지 E, 우리 후보로 지지 전환 가능성 등을 분류하여 표시한다.

이렇게 분류된 지지 성향에 따라 맞춤형 매뉴얼을 준비하여 그에 맞는 방법에 따라 해당 유권자에게 이메일, 문자, 전화 홍보 등을 진행한다.

예비후보자 공보물을 A와 C, D 등의 유권자에게 분류하여 배포한다. A는 우리 공보물을 다른 사람에게 적극 유포할 가능성, C와 D는 우리 후보 지지로 전환할 수 있는 가능성을 본다.

캠프로 오겠다는 사람은 막지 말고 오히려 모두 오게 하여서 개인의 지인 찾기 활동을 적극 장려해야 한다.

조직 선거

어떤 선거에서든 조직(조직 선거)는 선거 운동이라는 전장에서 핵심 역할을 한다. 특히 총선(국회의원) 규모의 선거에서 조직 활동(조직 선거)의 역할은 가장 중요하다. 어지간한 선거법 위반의 경우는 상대후보 허위 사실 공표·비난 등의 경우를 제외하고 대부분 조직과 관련된 곳에서 발생한다.

▸ 법 위반에만 유의하면서 '수단과 방법을 가리지 않고 치열한 선거 전투가 벌어지는 곳이 조직 활동'이다.

대선 때의 그 많던 안철수 후보 지지자들은 어디 있고 무엇을 하고 있나?

해피스 등 자발적 지지 모임 수천 명을 그냥 놓아둘 것인가? 이들이 노원(병) 지역 유권자를 1인당 10명씩만 '지인 찾기'로 찾아오면 중복 DB를 걸러내도 후보가 당선에 필요한 득표 수를 넘어설 것이다.

노무현, 박근혜를 만들어 준 힘의 원천은 자발적이고 적극적인 지지자들이다.

자발적 지지자들을 최소한 한 번씩은 캠프에 오게 하고 방문할 때 지인 찾기 결과 데이터를 가져오게 하거나 캠프에서 스스로 지인 찾기 활동을 하도록 조치한다.

지금 당장 안철수 100인 열혈 지지 그룹을 만들어라!

지역 내의 인사들을 중심으로 강력한 안철수 지지 (사) 조직을 결성하라.

첫 단계로 10명 내외 수준으로 사조직을 결성한다. 매주 같은 시각에 정기 모임을 가지고 이때 후보가 반드시 참석한다. 첫 모임에서 기본적 멘탈 교육, 활동 방법, 주요 메시지 등 간단한 교육.

두 번째 모임에서 한 사람당 1명 이상 모임에 동참할 사람 반드시 데리고 오도록 하여 자발적 참가자 추가 합석. 이렇게 투표일 전주까지 4번의 모임을 가지면 100명의 위원회 위원들이 형성된다.

이들은 바로 노원(병) 지역에서 자발적으로 구전 홍보와 안철수 당선을 위해 열성을 다해 활동을 할 첨병이다. 선거 후에도 지속적인 모임과 만남을 통해 유대를 강화해 나가면 안철수만을 위한 100명의 특공대가 구성된다.

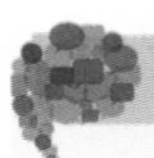

Note

어떻게 보면 선거구의 유권자 DB는 구하기 쉬울 수도 있고 때로는 선거 브로커들에 의해 DB가 공공연하게 유통되는 경우도 있다. 그러나 지지자들이나 자원봉사자들에 의해 구축된(지인 찾기를 통해 얻어진) DB만큼 실효성 있는 자료는 흔치 않다. 그런데 중요한 문제는 지인 찾기를 통해 구축된 DB를 어떻게 정리하고 활용하느냐 하는 것이다.

조금은 어렵겠지만 필자는 지인 찾기를 통해 확보한 DB는 해당 DB를 가져온 사람을 통해 적극 활용하는 방안을 선호한다. 해당 DB를 가져온 사람이 직접 DB에 있는 사람에게 전화를 걸도록 하는 것이다. 자신의 개인 전화기로 해야 한다. (선거사무실의 전화를 사용하면 선거법상 문제가 있다.)

자신과 직접 아는 사람이 아니더라도 그 사람을 소개해 준 사람을 언급하며 후보 지지를 부탁하는 전화를 하는 것이다. 그래서 전화를 받은 DB상의 유권자가 후보에 대해 어떻게 생각하는지 앞서의 등급별로 분류해서 표시한다. 그리고 차후 예비후보자 공보물을 발송할 때 공보물의 효과가 극대화될 수 있도록 분류된 등급에 맞춰 해당 유권자에게 발송을 한다.

또한 공식 선거운동에 들어가서 공식적으로 전화 홍보(자원봉사) 가 가능한 시기가 되었을 때, 미리 등급별로 분류된 사람에 따라 미리 준비된 전화 멘트 매뉴얼대로 전화 홍보요원이 유권자들에게 쉽게 접근하고 설명할 수 있도록 하는 것이다.

문자 홍보나 이메일 홍보에서도 등급별로 분류된 메시지를 준비하여 유권자의 성향에 맞는 맞춤 메시지로 전송할 수 있다.

열성 지지자들의 역할은 매우 중요하다. 그런 만큼 지역에서 후보를 위해 열정을 바칠 100명 정도의 지지자도 만들지 못한다면(자발적 모임이든, 캠프의 노력에 의한 모임이든) 후보에게 표를 던져줄 다른 유권자를 어떻게 설득하겠는가?

거물급 정치인의 사조직

손학규, 정동영 등의 거물급 정치인의 사조직은 해당 정치인이나 관련 인물의 선거가 있을 경우, 수백 내지 수천 명의 조직인원이 선거기간 동안 돌아가며 최소한 1회 이상씩은 선거 사무실을 방문한다. 그래서 1인당 적게는 20명, 많게는 100명 이상의 해당 선거구 내 직접 유권자 DB를(일명 지인 찾기) 확보하고 돌아간다. 본인과 직접 아는 사람 외에도 친한 사람의 주변까지 2차, 3차적 연계를 한 유권자 찾기를 통해 충분한 숫자의 유권자(DB) 를 발굴해낸다. 거물 정치인의 힘은 바로 이러한 사조직에서 나온다고 할 수 있다.

기타 운영 안

네거티브는 선거의 필요악?

선거전이 치열할수록 네거티브의 유혹은 더욱 절실해지게 마련이다. 그러나 자칫 무리수를 두면 두고두고 후회할 수도 있다. 아울러 상대의 네거티브가 있을 때 가벼이 움직여서도 안 된다.

선거구 지도 활용 방법

선거구 전체가 보이는 지도에 '읍·면·동'별 상황을 종이로 메모하여 해당지역 위치에 붙여놓아 언제든 쉽게 파악할 수 있도록 한다. 예를 들면 각 동별 인수 현황(성별·연령별), 문화시설 현황, 동별 유권자 성향, 요구사항 등을 간단히 정리하여 붙인다. 특정 핀(붙였다 떼었다 할 수 있는)을 활용하여 현재 후보자 위치(또는 선거 차량 위치) 를 표시한다.

▶ 각 읍·면·동별 유권자 민원, 정책·공약적 요구사항, 해당 지역 분위기 등을 전체 지도에 간단히 표시한다. 동별 체육시설, 문화시설, 공원시설, 노인시설 등의 위치를 고정 핀으로 표시하여 얼마나 지역 안배가 됐는지 파악하고 해당 시설의 이용 현황 등을 간단히 표시한다. 선거구 지도를 얼마나 자주 효율적으로 사용하였는지가 얼마나 지역을 잘 알고 있는지와 직결된다.

네거티브

전쟁터에서는 속임수도 전략전술이라는 말이 있듯이 전쟁은 수단방법을 가리지 않는 법이다. 네거티브는 공식 조직이나 캠프의 커뮤니티 수단에 의한 전파는 절대 삼가야 한다. 네거티브도 스토리가 있어야 하고, 듣는 이가 공감할 수 있어야 한다.

▶ 상대의 실수, 결정적 약점·단점을 집중 공략한다. 네거티브도 한 가지만 정해서 집중해야 한다. 상대가 정말 무결점 후보라면, 네거티브 금지(오히려 역풍 가능성) ! 듣는 이의 상상을 자극하는 스토리(메시지) 로 만들어라.

▸ 상대가 반응을 하되 소극적·방어적 반응이라면 준비한 2탄, 3탄을 터뜨려라. 상대 반응이 적극적이고 강하게 나온다면, 우리 쪽 활동에 좀 더 조심을 하되 기본 스토리를 강화하라("적극적 반응은 긍정을 암시하는 것이다."라는 식의 방법). 네거티브는 매우 위험한 방식의 공격으로, 철저한 보안과 기획이 따르지 않으면 부메랑이 될 수 있으므로 활용 자체와 스토리에 매우 유의할 필요가 있다.

Note

상대의 네거티브 공격에 대해서는 섣불리 맞불을 놓거나, 해명하려 하지 말아야 한다. 준비해놓은 다른 공격을 전개하든가 빨리 이슈를 전환시켜라! 그리고 예기치 못한 지점을 공략하라!

▸ 노원(병) 재·보궐선거는 시작부터 여당 후보의 고전이 예상되었다. 그래서인지 공식 선거기간이 시작되자 안철수 후보의 예비군 훈련 여부를 두고 여당 측의 네거티브(성) 공세가 시작되었다. 이는 출마자 신분으로서 해당 사실을 공개할 필요가 없는 사항이기도 하였다. 이미 그러한 점을 알고 있는 여당은, 안철수 후보가 실제로 훈련을 받았는지 여부를 확인하고자 한 것이 아니라 '아니면 말고'식의 전형적인 상대방 후보 흠집 내기 방법으로 사용했던 것이다. (기실 선거라는 전쟁 중에는 이러한 방법의 공격만큼 적절한 공격 방법이 없는 것도

사실이다.)

- ▶ 노련한 여당의 이러한 공격에 안철수 캠프는 별다른 대응이나 반응을 보이지 않았다. (역시 이런 네거티브 성의 공격은 무시하는 것이 가장 적절한 대응 방법이기도 하다.) 그러나 외적으로 반응이 없더라도, 어느 캠프나 이러한 공격은 아프게 받아들여질 수밖에 없다. 이때 필자는 안철수 캠프 쪽 지인에게 한 가지 아이디어를 제공했다.
- ▶ 마침 그 시기는 한반도 안보상 매우 불안한 시기였는데, 그때까지 안철수 후보와 캠프는 이와 관련된 메시지나 성명이 나가지 않고 있었다. 이는 안 후보 쪽 말고도 야당이나 야권 성향 논객들도 마찬가지였다. 필자는 당시 네거티브 성 공세에 대한 대응 방법으로서, 그 시기의 불안한 안보상황을 활용하자는 것이었다. 언론에 캠프의 성명이나 후보의 직접 메시지를 전달하여, 병역과 관련된 네거티브 성 공세에 대한 관심을 전환시키고 군사·병역 등과 관련된 불신을 해소시키면서 전국적인 관심사에 대한 이슈를 후보가 선점하는 의미가 있을 것이라 생각하였다.
- ▶ 안철수 캠프 쪽에서는 필자의 제안을 긍정적으로 검토하였고, 필자가 제안한 지 한 시간여 만에 이례적으로 성명서를 발표하였다. 물론 대북 관계 및 안보와 관련된 성명이었다. 그렇지 않아도 안철수 후보 쪽에서 나오는 한 마디 한 마디에 관심을 기울이고 있던 언론들이 일제히 이를 다루었고,

이후 언론의 보도는 예비군 관련 의혹 성 기사보다 캠프의 안보 성명서가 더 많아져서 상대의 네거티브 성 공격을 어느 정도 진압하는 결과도 가져오게 되었다.

▸ 이렇듯 상대의 예상치 못한 공격에 대비하여 예비 전력을 구축하거나, 이슈 전환용 히든카드 몇 가지를 사전에 준비할 필요가 있다. 이런 히든카드는 선거에서 언젠가 활용하게 될 것이다.

가장 중요한 것은 실행이다

기획이든, 전략이든 선거에서 작전이 잘 세워졌음을 확인할 수 있는 유일한 방법은 '실행'이다.

전략은 '실행'이다

전략과 작전·기획을 만드는 것보다 더욱 중요한 것은 '실행'이다. 특히 '정치판·선거판'에는 자칭 전략가, 한 마디 해주는 사람, 이것저것 훈수만 하는 사람들이 발에 치일 정도로 많지만 결정적으로 그것을 실행해주는 사람은 극히 적다. 실행을 위해선 행동으로 옮길 사람이 중요한데 선거판에서 이들은 대부분 비용을 필요로 한다.

▸ 결국 후보자에게 진짜 필요하고 진짜 측근이라 할 수 있는 사람들은 누구일까? 비용 없이 실제로 실행하는 사람이 필요하

다. 실행을 할 진짜 측근을 구하라. 진짜 측근을 구하기 힘들면 돈을 들여 사서라도 구해야 한다(선거는 이들이 진행한다).

▶ 훈수와 한 마디는 경로당의 노인들이 가장 잘한다. 훈수 한 마디, 전략이랍시고 한 마디 하는 사람들에게 선거 상황실을 맡기거나 그들을 중요한 논의 장소에 출입시키지 마라. 훈수하는 사람들은 선거 사무실 내에 별도 공간을 만들어주고 사무장과 적당히 환담하는 정도로 끝내도록 하라. 상황실 등 실제 선거 운영 사무실은 출입금지 구역으로 지정한다(상황실은 후보자도 중요한 회의를 할 때나 방문).

스파이도 필요하다

선거구의 유권자라면 우리 사무실만 방문했을 거라고 생각지 마라. 그 중에는 때로 스파이도 있다. 상황실 등의 출입통제가 필요한 가장 중요한 이유다. 상황실 등은 가능하다면 별개 공간으로, 다른 층 또는 다른 사무실을 써도 좋을 것이다. 역으로 우리도 스파이를 활용하거나 적의 첩자를 활용하는 방안을 연구한다. 잘만 하면 적의 정보를 습득할 수도 있고, 허위 정보를 제공하여 적을 교란시킬 수도 있다.

사무실 분위기부터 압도하라

상대를 실제적으로 압도할 수 있는 두 가지는 실제 지지율과 사무실 분위기다. 크기, 인원, 분위기를 보면 선거 판세가 읽힌다.

'아이디어를 얻는 게 어려운 게 아니라, 적용하기가 어려운 것이다.'

Note

선거든 전쟁이든, 기획이나 전략이 중요한 것이 아니고 정해진 전략과 기획을 확실하게 실행할 실무진(전투 병력) 이 중요하고, 실행하는 것이 가장 중요하다.

▶ 필자는 노원(병)의 안철수 후보에게 그동안 미온적으로 대처하던 언론·보도에 대한 부분을 적극적으로 활용하는 방안을 강조하고 추천하였다. 그러자 이후부터는 라디오 시사 프로그램 등에 후보가 직접 또는 후보의 측근 인사들이 적극 출연하였고 다양한 방송과의 인터뷰에도 적극적으로 응대하기 시작하였다. 또 그동안의 소극적인 대처에서 적극적인 태도로 전환하여 언론 홍보, 성명서 발표, 보도자료 배포 등을 진행하였다. 이렇듯 필요하다고 지적되었고 필요성을 느꼈다면 주저하지 말고 실행에 옮기는 것이 가장 중요하다.

▶ 안철수 후보 캠프의 투표율 높이기도 마찬가지다. 필자는 보고서에서 투표율을 높여야 한다는 사실을 누차 강조하였다. 노원(병) 선거는 재·보궐선거이기 때문에 누구나 투표율이 낮을 것으로 예측할 수 있었다. 게다가 필자의 조사·분석에 따르면 노원(병) 지역은 재·보궐선거의 경우 특히나 투표율이 낮은 곳이었다.

▶ 그 이유는 노원(병) 지역의 주류를 이루는 연령층이 30~40대 남성이라는 점, 이들은 대부분 먼 거리로 출퇴근을 한다는 점, 이들 연령층이 많이 거주하는 지역에서 야권 득표율이 높았다는 점 등을 들어 이들의 적극적 투표가 이루어지지

않을 경우 아무리 안철수 후보라 하더라도 안심할 수 없다고 누누이 강조하였다.

▶ 당시 캠프는 투표율 재고를 위해 별다른 캠페인이나 홍보를 전개하지 않고 있었지만, 필자의 보고서가 전달된 이후로는 선거 홍보와 후보 메시지 등에 항상 투표 독려를 위한 사항이 우선시되어 진행되었다. 역시 필요한 부분이 발생하였을 때 즉시 실행에 옮긴 사례라고 할 수 있다.

▶ 보고서에 적시한 민주당 지역 위원장에 대한 부분도 마찬가지. 필자가 알고 있기로는 민주당의 노원(병) 지역 무공천無公薦 방침에 의해 민주당 소속으로는 출마하지 못하게 된 민주당 노원(병) 지역위원장에 대해서, 안철수 후보 캠프에서는 '쉬쉬'하는 분위기였다.

▶ 그러나 필자가 민주당 지역 위원장의 필요성을 주장하고, 그의 역할과 혜택을 위한 방법 등을 제시하자 캠프는 바로 이를 실행하였다. 민주당 위원장은 개소식 등의 몇몇 주요 공개 행사와 유세에서 공개적으로 안철수 후보를 지지하였고 캠프는 민주당 위원장의 역할과 공간, 자리 배치 등에 상당한 배려를 해주었다. 그리고 그것은 역시 결과에서도 바로 나타나게 되었다.

▶ 이렇듯 정말로 중요한 것은 작전을 잘 짜거나 좋은 아이디어를 많이 내놓는 것이 아니라 우리(캠프) 가 필요하다고 생각하면 주저하지 말고 실행에 옮기는 것, 그것이 정말 중요하다.

메시지의 현장 적용 사례

노원(병) 선거 현장의 벽보와 공보물 등을 통해서 본 각 후보별 메시지

안철수 : 여론조사 1위 후보. 안철수의 새 정치 이제 실천입니다(벽보). 상계동 아이들의 멘토가 되겠습니다(거리 현수막 메인).

허준영 : 2위 후보. 상계동을 위한 진심 허준영

김지선 : 3위 후보. 노회찬 무죄에 한 표를!

정태흥 : 4위 후보. 박근혜 유신 정부를 막아내겠습니다(벽보). 뉴타운 전면 백지화(현수막)

■ 노원(병) 선거 현장 거리의 벽보와 현수막

역시 지역 유권자의 분포를 잘 파악한 캠프의 문구가 달라 보인다. 필자의 보고서를 통해 분석되었던 바대로, 노원(병) 유권자의 다수이자 이번 선거에 큰 영향을 끼칠 주요 계층이 초중고생 자녀를 둔 30~40대 학부모라는 것이 확인되었다. 1위 후보(안철수)는 이 점을 간파하고 주 공략대상이 될 계층에게 공감을 줄 만한 문구를 만들었다.

자식을 키워보면 알겠지만, 학부모들에게 일상에서 가장 큰 관심사이자 생활의 중심은 아이들이다. 1위 후보 캠프는 학생들의 수업시간을 줄이겠다느니, 사교육 문제를 해결하겠다느니 그야말로 '공약'스러운 얘기가 아니라 우리 아이들의 미래를 같이 걱정하고 해결해 보자는 의지를 얘기하고 있다.

후보가 누구인가? 서울대 박사에, 의사이자 성공한 벤처사업가

이고, 모범적인 가장에다가 전국적으로 신망 받고 있는 정치인 아닌가?

1위 후보와 비교할 때 2위 후보는 문구 자체에는 의미가 있어 보이지만 쉽게 공감을 얻기는 어려워 보인다. 한 마디로 그럴 듯한 말 같지만 유권자들이 후보에게 무엇을 연계하여 상상할지 제시하지 못했다. 1위 후보를 인식한 문구일 수도 있겠으나 어느 후보가 '진심'없이 선거를 대하고 유권자를 대하겠는가? 그렇다면 2위 후보가 그동안 '진심'이 없었던 것도 아닌데 유권자들이 2위 후보의 진심을 몰라주고 있다는 것인가? 공감성도 떨어지지만 단어 자체의 임팩트도 부족했다. '진심'을 사용하느니 아예 '상계동에서 뼈를 묻겠습니다!'가 나을 뻔했다. 어차피 상계동의 대부분 주민과 출마자 전부는 토박이가 아니라는 것이 다 아는 사실 아닌가?

2위 후보에게 기대해 볼 수 있는 것은 전통적 보수 표와 탄탄한 기반의 조직인데 '상계동의 안정된 변화와 발전'을 컨셉으로 하였다거나, 정권 초기 여당 후보의 이점을 살리는 의미에서 대규모 국책 사업이 필요한 정책·공약 등으로 문구를 꾸몄다면 변화에 대한 욕구를 갖고 있는 유권자에게 더 공감을 주며 다가갔을 것이다. 혹은, 항상 야당 후보에게만 표를 주면 지역발전의 정체를 가져온다는 식으로 유권자를 설득하며 여당 수뇌부들의 지원을 통한 발전 약속을 받아내는 의미로 '상계동 발전을 위한 선택, 힘 있는 후보'등의 컨셉도 괜찮았을 것이다. 이러한 컨셉은 진부하다고 할 수 있겠지만, 문구 자체는 사람들에게 익숙한 것이 좋다. 유권자들이 그 뜻을 쉽게 이해할 수 있기 때문이다.

3위 후보는 정말 최악의 문구를 사용하였다. 노회찬 전前 의원의 억울함은 유권자들도 대부분 알고 있었다. 그렇다면 3위 후보의 출마가 노회찬 전 의원의 무죄를 법적으로는 아니지만 정치적으로라도 사면 받으려는 것이 목적인지, 출마 후보가 선거에서 많은 득표를 하려는 것이 목적인지 모호한 문구다. 득표를 위한 문구가 전혀 아니다.

노회찬 전 의원의 무죄를 강조하는 것을 득표를 위한 문구로 사용했다면, 부부가 지역구를 물려받았다는 점에 대해서 정면 돌파를 하겠다는 의미로 보인다. 그렇다면 3위 후보의 출마는 오로지 '노회찬 무죄'하나 때문에 출마했다고밖에 볼 수 없다. 상계동의 발전이나 정치권의 변화와는 상관없이 가족 문제 때문에 출마했다고 강조하는 셈이다. 출마한 후보가 누구이고 노회찬 전 의원을 대신하여 얼마나 더 나은 인물인지, 아니면 상계동 주민을 위해서 후보가 선택받아야 할 장점이나 정당성 등에 대한 설명이나 설득이 전혀 없다. 앞서 얘기했듯이 노회찬을 연상시키며 후보를 충분히 알리는 방법이었다면 좋았을 것이다. '노회찬보다 뛰어난 상계동 야권 대표 김지선'이라는 컨셉으로 말이다

4위 후보. 모든 후보가 뉴타운에 대해 언급은 했지만, 현수막을 통해 대표 문구로는 사용하지 않았다. 이는 1, 2위 후보가 그랬다면 매우 잘못된 방법이겠으나 4위 후보로서는 나름 적절한 포지션을 잡았다고 할 수 있다. 즉, '뉴타운 문제에 있어서는 내가(4위 후보가) 앞장서서 막겠다.'라는 메시지를 줄 수 있기 때문이다.

4위 후보는 현실적으로 1~3위 후보를 모두 넘어서기는 힘들다. 그러므로 범위가 비록 넓지는 못해도 특정 부분만큼은 내가 일등을 먹는 전술로서는 적당하다는 것이다. 그리고 그것으로 1~3위 후보를 끈질기게 괴롭히는 것이다. 다시 말하지만 4위 후보는 1~3위 후보의 지지율을 끌어 내리려는 방법이나 그들을 단숨에 뛰어 넘으려는 것이 필요한 게 아니라 작은 우물이지만 그

곳에서 만큼은 대장이 되는 것이 가장 유효한 전술이다.

그러다 보면 기회가 생길 것이다. 차기엔 3위 후보를 넘어서 있을 것이고 2위 후보를 위협하며 1위 후보도 신경을 쓰게 될 라이벌이 되어 있을 것이다. 4위 후보의 벽보에 사용한 슬로건을 보면 언뜻 코미디 같다고 할 수도 있겠다.

"박근혜 유신 정부를 막아내겠습니다"

당선되어 봐야 1명의 국회의원에 불과하고 그나마도 1~2위를 다투는 후보도 아니고 4위 후보가 말이다. 그러나 소수이겠지만 본인의 지지층에게, 그리고 대부분 유권자에게 이만큼 확실하고 강렬한 의미를 주는 문구도 없을 것이다. 4위 후보는 슬로건대로 하기 위해 언제든 투쟁하겠다는 의지를 유권자들에게 내비쳐준 것이다. 자신이 당선이 될 것이라는 생각이 아니다. 확실하게 유권자들에게 강한 인상을 한 번 남겨놓겠다는 뜻이다.

각 동별 분석과 전술 운영 안

지금까지 자료조사와 분석은 우리 선거구가 어떠한 곳인지 파악하고 전략 수립을 위한 가늠자 역할을 했다. 이제부터는 조사하고 분석한 자료들을 적절하게 활용해야 한다.

조사·분석한 자료들을 선거구 내의 각 읍·면·동별로 정리하여 배열하고 동별 특징을 파악한 후에 그에 따른 세부적인 선거 진행 방법을 만들어본다.

동별 분석에 앞서…

2013년 4월 24일 노원(병) 재선거는 재·보궐선거의 특징상 50%에 미치지 못하는 투표율을 보일 것으로 예상된다. 근래에 진행되었던 재·보궐선거만 살펴보아도 2011년 4월 분당 재·보궐선거(민주당 손학규 당선)에서도 49% 수준을 보였고, 2011년 10월 서울시장 재·보궐선거에서도 48% 수준의 투표율을 보였다.

위의 두 선거는 재·보궐선거임에도 당시 해당 유권자들에게 민감한 정치적 사안이 존재했고, 야권 전체에 의한 대대적인 투표 독려 캠페인이 진행되었으며, 선거 현장에서도 해당 캠프가 투표율을 높이기 위해 엄청난 노력을 벌인 결과다.

이번의 노원(병) 지역은 대체로 평균 투표율과 비슷하거나 약간 미치지 못하는 수치를 보여 주고 있다. 그렇다면 투표율 재고를 위해 야권이 힘을 모아 진행했던 2011년 두 번의 재·보궐선거 때 보여주었던 48~49% 수준의 투표율조차 기대하기 어려운 상황이다.

게다가 20~40대 직장인 분포가 높은 노원(병) 지역의 사정을 감안한다면 높은 투표율을 기대하기 힘들다. 노원(병) 지역은 역대 선거에서 20~40대 층의 투표율이 항상 평균치에 못 미치는 결과를 보였으며, 재·보궐선거임을 감안한다면 더욱 어려운 상황이라고 할 수 있다.

또한 심리적으로 유권자들은 지난해에 두 번의 큰 선거를 치렀고 그때마다 야권이 패배함으로써 선거와 투표에 대한 피로감은 더하다고 보아야 한다. 그래서 이후의 기술은 이번 선거의 투표율 목표를 48%로 가정하고 표 계산을 해보았으며, 캠프에서는 필자의 이 보고서와 별도로 연령·계층별 인구 분포에 맞게 다시 한 번 표 계산과 목표 득표수를 책정하여야 할 것이다. 특히 이번 노원(병) 재선거는 여론조사 지수상의 지표만을 믿고 안일하게 대처해서는 안 된다.

우리 선거구 내 각 읍 · 면 · 동의 특색은 무엇일까?

각 동에 대한 선거 진행은 어떻게 해야 할까?

상계 1동 분석

- 예상 선거인 수(부재자 포함) : 33,683명
- 선거구 내 선거인 수의 **22.0 %(노원 병에서 가장 많음)**

- 연령별/성별 인구수 분포 (19세 이상)

상계 1동	**남자**	**여자**
19세~20대	10.5%	10.1%
30대	8.4%	8.7%
40대	10.7%	11.6%
50대	9.8%	10.1%
60세 이상	9.2%	10.9%

- 선거구 내 중요 선거 득표율 분석

	상계1동 투표율	새누리당 후보 득표율	민주당 후보 득표율	진보당 계열 후보 투표율	비고
18대 대선	76.9 %	47.6 %	**51.5 %**		야권후보 단일화
19대 총선	55.8 %	41.1 %		**55 %**	
2011.10.29 서울시장 재보궐	48.7 %	44.8 %	**54.1 %**		
2010 서울시장	54.5 %	**45.4 %**	**46 %**	**6.1 %**	
2010 노원구청장	54.5 %	45.1 %	**53.3 %**		
18대 총선		**44.4 %**	**14.9 %**	**39.6 %**	

- 주요 지표 현황

반지하/옥탑 및 주택 외 형태 주거비율	주거형태 별			주택소유 여부	
	아파트	단독주택	연립주택/다세대 등	무주택	주택소유
5%	**75%**	12%	9%	31%	**69%**

1인 가구	학력		종교		
	대학 이상 학력	대학 미만 학력	불교	개신교	천주교
12%	49%	51%	17%	21%	15%

주택 가격 1㎡당/만원	
매매(집값)	전세값
319만 원	182만 원
노원구 평균	노원구 평균
333만 원	195만 원
서울시 평균	서울시 평균
495만 원	264만 원

상계1동 득표 전술

주요 내용

- 아파트 비율 75% / 주택보유율 69 % 높은 편
  대학 이상 학력 49%로 낮지 않으며 유권자 성별/연령비율이 비교적 고르게 분포

- 노원(병) 선거구 내 가장 많은 인구수(22%)

- 민주당(혹은 야권단일후보)에게 항상 높은 지지(항상 50% 이상 득표율) 그러나 노회찬(진보당)의 일정적 고정표도 존재
  : 새누리당에도 40~45%선의 고정 득표율 보임

- 노원(병) 선거구의 특징을 표본적으로 볼 수 있는 동네. 선거 때 마다 전국 평균투표율에서 조금 높은 수준의 투표율을 나타냄

-노원(병) 선거구 중에서 비교적 중도 성향과 중산층이 존재하고 있는 동네

예상 투표율	예상 득표수	예상 득표율	목표 투표율	목표 득표수	목표 득표율
약 45%	약 6,972 표	약 46%	**약 48%**	**약 8,570 표**	**약 53%**

※ 기존 표에서 1,600표만 더 가져오자!

정치적 지형 분석

- 다른 노원(병) 지역에 비해 중도성향 유권자가 많이 존재
- 상계동을 대표하는 지역
- 투표성향 - 야권성향 : 보수성향 = 55:45 비율

- '진보/중도/보수', '중산층/서민층/최저층' 및 연령대별로 모두 비교적 고르게 분포
  : 그러므로 정치/선거 성향이 각자가 다르고 공략할 대상도 폭 넓게 존재

전술 실행 안

- 중도성향 유권자와 진보성향 유권자의 분리 공략

- 조직팀 구성 시 중도층 접근팀과 진보층 접근팀을 분리하여 서로 각개의 메시지와 접근 방식 진행

- 반드시 확보된 DB에 정치성향에 대한 분류 표시

- 이외로 인적 접근이 쉽지 않을 수 있으므로 지인 찾기 등으로 많은 DB 확보를 하여야 함

- 구전 홍보팀 적극 활용
  (구전활동을 위한 거점 반드시 확보)

123

상계 2동 분석

- 예상 선거인 수(부재자 포함) : 17,482명
- 선거구 내 선거인 수의 11.4 %

- 연령별/성별 인구수 분포 (19세 이상)

상계 2동	남자	여자
19세~20대	11.0%	11.0%
30대	8.1%	7.7%
40대	10.8%	11.8%
50대	10.1%	10.2%
60세 이상	9.0%	10.2%

- 선거구 내 중요 선거 득표율 분석

	상계2 동 투표율	새누리당 후보 득표율	민주당 후보 득표율	진보당 계열 후보 투표율	비고
18대 대선	74.7 %	48.8 %	50.3 %		야권후보 단일화
19대 총선	53.8 %	43 %		53.8 %	
2011.10.29 서울시장 재보궐	47 %	47.2 %	51.9 %		
2010 서울시장	52.7 %	47.8 %	45.1 %	4.8 %	
2010 노원구청장		49.2 %	49.3 %		
18대 총선		46.9 %	16.5 %	35.4 %	

- 주요 지표 현황

반지하/옥탑 및 주택 외 형태 주거비율	주거형태 별			주택소유 여부	
	아파트	단독주택	연립주택/다세대 등	무주택	주택소유
11%	52%	34%	10%	37%	**63%**

1인 가구	학력		종교		
	대학 이상 학력	대학 미만 학력	불교	개신교	천주교
14%	49%	51%	17%	**23%**	13%

주택 가격 1㎡당/만원	
매매(집값)	전세값
319만 원	182만 원
노원구 평균	노원구 평균
333만 원	195만 원
서울시 평균	서울시 평균
495만 원	264만 원

상계 2동 득표 전술

주요 내용

- 주택형태 비교적 고르게 분포, 주택보유율 높은 편

- 20대가 특히 많고, 40대 이하까지 60%가 넘음

- 투표율이 전국평균보다 대체로 높은 편이나 통근/통학하는 젊은 층이 많다 보니 재보궐 선거에는 평균 정도 수준

- 노원(병) 다른 지역에 비해 보수 후보 득표율이 높은 편(47~48% 고정 득표율)

- 종교/학력/소득 수준 등 유권자 층이 비교적 고른 분포

예상 투표율	예상 득표수	예상 득표율	목표 투표율	목표 득표수	목표 득표율
약 43 %	약 3,457 표	약 46 %	약 47%	약 4,102 표	약 50%

※ 기존 표에서 645표만 더 가져오자! 투표율을 높이자 !

정치적 지형 분석

- 유권자 층은 비교적 고르게 분포되고 젊은 층이 다소 많은 편이지만 보수성향 고정표가 많이 형성 보수 성향 고정표 47~48% 이상
- 후보의 인물/능력을 보는 성향이 높은 듯
- 타 동네에비해 민주당 골수 지지층이 좀 더 존재할 가능성

- 중도보다는 보수와 범 진보성향으로 정치성향이 확실하게 갈려있는 유권자 특성

전술 실행 안

- 민주당(야권성향) 골수 지지자들을 찾아내라
: 그들을 활용하여 민주당(야권성향) 지지자들을 적극적으로 확보하고 투표참여 캠페인 진행

- 이곳에 절반은 보수 지지자.
유권자 접촉 범위를 무리하게 넓히지 말고 우리편만 확실하게 찾아서 만나고 챙겨야 함.
확보된 야권성향사람을 모아 모임을 만들어서 그곳에 후보를 보내라

- 강력한 투표독려 활동 필요

125

상계 3, 4동 분석

- 예상 선거인 수(부재자 포함) : 30,462 명
- 선거구 내 선거인 수의 19.9 %

- 연령별/성별 인구수 분포 (19세 이상)

상계 3.4동	남자	여자
19세~20대	9.2%	8.0%
30대	8.9%	8.0%
40대	11.0%	10.4%
50대	9.4%	9.7%
60세 이상	11.5%	14.2%

- 선거구 내 중요 선거 득표율 분석

	상계 동 투표율	새누리당 후보 득표율	민주당 후보 득표율	진보당 계열 후보 투표율	비고
18대 대선	71.3 %	48 %	**50.3 %**		야권후보 단일화
19대 총선	51.1 %	41.2 %		**55.4 %**	
2011.10.29 서울시장 재보궐	43.7 %	43.5 %	**55.2 %**		
2010 서울시장	50.1%	45.4 %	**47.1 %**	**4.5 %**	
2010 노원구청장		45.3 %	**53 %**		
18대 총선		**43.9 %**	**19 %**	**35.6 %**	

- 주요 지표 현황

반지하/옥탑 및 주택 외 형태 주거비율	주거형태 별: 아파트	주거형태 별: 단독주택	주거형태 별: 연립주택/다세대 등	주택소유 여부: 무주택	주택소유 여부: 주택소유
(3, 4동)12%	**3동56%** **4동5%**	35% **52%**	7% **41%**	49% 50%	51% 50%

1인 가구	학력: 대학 이상 학력	학력: 대학 미만 학력	종교: 불교	종교: 개신교	종교: 천주교
3동 17% **4동18%**	3동39% 4동25%	**3동61%** **4동75%**	3동 18% **4동 23 %**	**3동 21%** 4동 17%	3동12% 4동 10%

주택 가격 1㎡당/만원	
매매(집값)	전세값
319만 원	182만 원
노원구 평균	노원구 평균
333만 원	195만 원
서울시 평균	서울시 평균
495만 원	264만 원

상계 3, 4동 득표 전술

주요 내용

- 다른 동네에 비해 유달리 60세 이상 연령층(특히 60세 이상 여성)과 1인 가구 비율이 높음
  : 할머니 독거노인이 많을 것으로 보임

- 3동은 주택형태가 비교적 고르게 분포
- 4동은 단독주택과 연립/다세대가 많음
  : 특히, 연립/다세대주택의 비율이 매우 높음
  : 상계동 타 지역에 비해 아파트가 적어서인지 주택 보유비율이 타 동네보다 낮은 편(50% 선)

- 3동, 4동 모두 대학 미만의 학력 분포가 매우 높고 비교적 불교신자가 많은 것 특징
  기초생활 수급자 인원이 노원(병) 지역에서 가장 많은 동네

- 지표상만으로도 서민층 이하 계층이 많음을 알 수 있음

예상 투표율	예상 득표수	예상 득표율	목표 투표율	목표 득표수	목표 득표율
약 42 %	약 6,400 표	약 50 %	**약 44 %**	**약 6,970 표**	**약 52 %**

※ 3, 4동에선 투표율 높히기다 !

정치적 지형 분석

- 투표율은 항상 전국 평균치와 근사한 수치를 보이지만 재보궐 선거의 투표율은 전국 평균에 비해 많이 낮은 투표율(저소득 밀집 지역 특징)

- 보수진영 후보에게 득표율 44~45% 수준의 고정 지지층 존재
- 잠정적인 야권 지지층은 득표율 50~55% 수준
  : 소수이지만 진보당 계열 고정 지지층(득표율 4~5%) 있음

전술 실행 안

- 평일 투표하기가 힘든 야권지지 성향 유권자들의 투표 실행이 중요

- 투표일과 투표시간, 투표의 필요성 적극 홍보
- 새벽시간과 야간시간에도 적극 유세 활동
- 동네 통장이나 마당발 주민(빅 마우스) 적극 확보
  : 확보 후 캠프에서 후보와 스킨십, 유대감 형성
  : 조직 팀원들이 빅 마우스와 함께 일일이 유권자 만나며 현장 활동
  (선거법 범위 확인/숙지 후 활동 必)

상계 5동 분석

- 예상 선거인 수(부재자 포함) : 18,669 명 - 선거구 내 선거인 수의 12.2 %

- 연령별/성별 인구수 분포 (19세 이상)

상계 5동	남자	여자
19세~20대	10.4%	9.7%
30대	8.8%	8.6%
40대	10.9%	11.8%
50대	9.0%	9.6%
60세 이상	9.2%	12.0%

- 선거구 내 중요 선거 득표율 분석

	상계 동 투표율	새누리당 후보 득표율	민주당 후보 득표율	진보당 계열 후보 투표율	비고
18대 대선	71 4%	48.2 %	**50.8 %**		야권후보 단일화
19대 총선	53 %	39.8 %		**56 %**	
2011.10.29 서울시장 재보궐	45.7 %	43.8 %	**54.8 %**		
2010 서울시장	53.3 %	45.6 %	**46.7 %**	**4.9 %**	
2010 노원구청장		45.5 %	**52.7 %**		
18대 총선		45.2 %	17.7 %	35.8 %	

- 주요 지표 현황

반지하/옥탑 및 주택 외 형태 주거비율	주거형태 별			주택소유 여부	
	아파트	단독주택	연립주택/다세대 등	무주택	주택소유
14%	42%	**39%**	**17%**	43%	**57%**

1인 가구	학력		종교		
	대학 이상 학력	대학 미만 학력	불교	개신교	천주교
16%	41%	**59%**	18%	24%	11%

주택 가격 1㎡당/만원	
매매(집값)	전세값
319만 원	182만 원
노원구 평균	노원구 평균
333만 원	195만 원
서울시 평균	서울시 평균
495만 원	264만 원

상계 5동 득표 전술

주요 내용

- 상계 4동과 유사하게 60세 이상 여성이 비교적 많으며, 1인 가구 비율도 높은 편
  : 특히 '옥탑방/반지하/주택 외 형태'에서 주거하는 비율 높음
  : 기초생활 수급자 비율 높음
  : 여성 독거노인이 많을 것으로 보임
- 상계 3, 4동 다음으로 대학 미만 학력 분포가 높음
- 지표상 저소득층 비율이 높은 지역으로 보임
- 불교/개신교 신자 분포도 비교적 높은 편

예상 투표율	예상 득표수	예상 득표율	목표 투표율	목표 득표수	목표 득표율
약 43 %	약 4,000 표	약 50 %	**약 45 %**	**약 4,840 표**	**약 54 %**

※ 기존 표에서 840표만 더 가져오자!
투표율 높이기도 중요하다 !

정치적 지형 분석

- 중도층이 어느 정도 형성되어 보임
  : 득표율 기준 5~10% 수준
  : 보수 고정표 득표율 기준 40% 선
  : 범 야권 고정적 지지층 득표율 기준 50% 선
  : 진보 정당 고정층 득표율 기준 2~3 %선 존재
- 전국 평균 투표율과 비교 시 재보궐 선거에서 투표율이 전국선거에 비해 낮아짐

전술 실행 안

- 재보궐 선거에 투표 참여가 어려운 유권자 비교적 많아 보임
- 투표일과 투표시간, 투표의 필요성 적극 홍보
- 동네 통장이나 마당발 주민(빅 마우스) 적극 발굴
  : 발굴 후 캠프에서 후보와 스킨십, 유대감 형성
  : 조직 팀원들이 빅 마우스와 함께 일일이 유권자 만나며 현장 활동
- 후보가 동네에 새벽예배 등에 적극 방문

129

상계 8동 분석

- 예상 선거인 수(부재자 포함) : 19,354 명 - 선거구 내 선거인 수의 12.6 %

- 연령별/성별 인구수 분포 (19세 이상)

상계 8동	남자	여자
19세~20대	7.6%	8.1%
30대	14.9%	15.5%
40대	12.2%	12.2%
50대	6.4%	7.5%
60세 이상	6.3%	9.4%

- 선거구 내 중요 선거 득표율 분석

	상계 동 투표율	새누리당 후보 득표율	민주당 후보 득표율	진보당 계열 후보 투표율	비고
18대 대선	80.2 %	39.4 %	59.9 %		야권후보 단일화
19대 총선	61.4 %	34.3 %		62.3 %	
2011.10.29 서울시장 재보궐	51.8 %	37 %	62.1 %		
2010 서울시장	58.9 %	35.8 %	54.1 %	7.8 %	
2010 노원구청장		38.2 %	60.8 %		
18대 총선		35.5 %	14.9 %	48.6 %	

- 주요 지표 현황

반지하/옥탑 및 주택 외 형태 주거비율	주거형태 별			주택소유 여부	
	아파트	단독주택	연립주택/다세대 등	무주택	주택소유
0 %	100 %	%	%	40 %	60 %
1인 가구	학력		종교		
	대학 이상 학력	대학 미만 학력	불교	개신교	천주교
10 %	63 %	37 %	13 %	23 %	15%

주택 가격 1㎡당/만원	
매매(집값)	전세값
319만 원	182만 원
노원구 평균	노원구 평균
333만 원	195만 원
서울시 평균	서울시 평균
495만 원	264만 원

상계 8동 득표 전술

주요 내용

-30대 인구 매우 많음(40대도 많음)

- 아파트 100%, 주택소유 60%, 대학이상 63%

- 천주교 신자 15%(비교적 많음), 개신교 신자도 많은 편, 반면 불교신자는 타 동네 비해 적은편

- 노원(병) 지역구 동네 중에서 20대와 50대, 60세 이상 연령층이 가장 적은 분포
 : 20대 자녀를 두게 되는 50~60대 가정이 드물고
 : 대신 30~40대 청/중년층 세대가 많음

- 1인 가구가 10%.
 : 이곳에 1인 가구도 모두 아파트에서 거주

- 30평 이상 크기의 주택이 전혀 없음

예상 투표율	예상 득표수	예상 득표율	목표 투표율	목표 득표수	목표 득표율
약 50 %	약 5,225 표	약 54 %	**약 52 %**	**약 6,040 표**	**약 60 %**

※ 기존 표에서 7~800표만 더 가져오자!

정치적 지형 분석
- 매 선거마다 전국 평균 투표율을 상회하는 투표율
- 야당 후보가 많은 표를 확보하는 대표적 지역
 : 보통 야권(단일화) 후보가 보수 후보보다 2~3천표 이상을 확보하는 지역
- 젊은 층이 많고 정치에 대한 적극적 의사 표시와 비교적 진보적 사고를 두는 유권자가 많음

- 보수정당 고정표 35% 수준(매우 낮음)

전술 실행 안
- 진보 계열 정당 후보 지지성향 유권자들을 얼마나 확보하느냐가 중요

- 초중고등 학생을 자녀로 둔 세대가 많은 곳
- 학원가와 중심가 및 학부모 모임이 잦은 매장 주변 위주 유세활동
- 각 학교 학급 및 학교 회장/부회장 학생의 엄마를 반드시 확보하라 !(빅마우스 확보)
 : 그리고 우리 편으로 만들고 이들을 적극 활용
- 미용실, 까페 등 거점 집중 공략
 : 모든 캠프인원, 조직활동 인원이 미용실 방문 후 이용할 것(이용 중 홍보 및 구전 활동)

- (학원협회 등 통해)학원교사들 확보. 조직 구전활동

131

상계 9동 분석

- 예상 선거인 수(부재자 포함) : 18,067 명　　　- 선거구 내 선거인 수의 11.8 %

- 연령별/성별 인구수 분포 (19세 이상)

상계 9동	남자	여자
19세~20대	9.5%	9.3%
30대	9.8%	10.5%
40대	12.2%	13.6%
50대	8.5%	9.2%
60세 이상	7.4%	9.9%

- 선거구 내 중요 선거 득표율 분석

	상계 동 투표율	새누리당 후보 득표율	민주당 후보 득표율	진보당 계열 후보 투표율	비고
18대 대선	79.5 %	44.6 %	54.7 %		야권후보 단일화
19대 총선	60.5%	36.8 %		59.2 %	
2011.10.29 서울시장 재보궐	52.3 %	42.6 %	56.6 %		
2010 서울시장	57.8 %	42.6 %	47.6 %	7.3 %	
2010 노원구청장		43.7 %	55.1 %		
18대 총선		40.2 %	14.4 %	44.4 %	

- 주요 지표 현황

반지하/옥탑 및 주택 외 형태 주거비율	주거형태 별			주택소유 여부	
	아파트	단독주택	연립주택/다세대 등	무주택	주택소유
0 %	100 %	%	%	25 %	75 %

1인 가구	학력		종교		
	대학 이상 학력	대학 미만 학력	불교	개신교	천주교
10 %	58 %	42 %	15 %	24 %	16 %

주택 가격 1㎡당/만원	
매매(집값)	전세값
319만 원	182만 원
노원구 평균	노원구 평균
333만 원	195만 원
서울시 평균	서울시 평균
495만 원	264만 원

상계 9동 득표 전술

주요 내용

- 40대 분포가 많음

- 아파트 100%, 주택보유율 75%, 대학이상 58%
- 천주교 신자 비율 비교적 높음(개신교도 높음)

- 중산층 비율이 노원(병) 다른 지역에 비해 비교적 높을 것으로 보이는 지표

- 전반적으로 상계 8동과 비슷한 지표를 보이지만 30대가 매우 많았던 8동에 비해 비교적 연령층 분포가 고른 편이고 소득수준이나 재산 보유 수준 등에 있어 8동보다 좀 더 여유가 있는 동네로 보임
  : 단, 30평 이상 크기의 주택은 전혀 없음

예상 투표율	예상 득표수	예상 득표율	목표 투표율	목표 득표수	목표 득표율
약 50 %	약 4,500 표	약 50 %	약 53 %	약 5,270 표	약 55 %

※ 기존 표에서 770표만 더 가져오자!

정치적 지형 분석

- 투표율이나 기타 정치적 성향은 상계8동과 유사한 모습이나, 30대 분포가 매우 많고 50대 이상 분포가 매우 적은 8동에 비해 고른 분포를 보이는 만큼 보수정당 득표율이 8동보다는 높게 나오는 성향 또한 중도층도 8동보다는 많은 편

- 보수정당 고정지지 득표율 기준 37~38%
- 중도성향 득표율 기준 5% 선
- 확고한 진보정당 지지 성향 층도 4~5% 선 존재

전술 실행 안

- 10대 중반 이상 중고등 학생을 자녀로 둔 세대가 많은 곳
- 늦은 시간 학원 앞에서 아이들을 기다리는 학부모들과 만나 이야기 하기

- 학원가와 중심가 및 학부모 모임이 잦은 매장 주변 위주 유세활동
- 학원가 밀집 지역에 학부모들이 자주 찾는 매장에 매장 점주들을 확보하라
  : 상가 번영회 등 직능 조직팀 활동 중요
  : 상가 번영회 모임을 알아내고 때론 모임을 주선해 후보를 보내고 조직활동 통해 구전활동

상계 10동 분석

- 예상 선거인 수(부재자 포함) : **15,665** 명
- 선거구 내 선거인 수의 **10.2** %

- 연령별/성별 인구수 분포 (19세 이상)

상계 10동	남자	여자
19세~20대	10.1%	10.7%
30대	10.3%	11.5%
40대	10.7%	12.6%
50대	8.6%	9.6%
60세 이상	6.5%	9.5%

- 선거구 내 중요 선거 득표율 분석

	상계 동 투표율	새누리당 후보 득표율	민주당 후보 득표율	진보당 계열 후보 투표율	비고
18대 대선	**78.8 %**	44.8 %	**54.6 %**		야권후보 단일화
19대 총선	**58.6 %**	38.3 %		**58.5 %**	
2011.10.29 서울시장 재보궐	**50.3 %**	43.3 %	**56 %**		
2010 서울시장	**56.2 %**	45.2 %	**45.8 %**	**6.8 %**	
2010 노원구청장		46.9 %	**52.2 %**		
18대 총선		**43.9 %**	**13.4 %**	**41.9 %**	

- 주요 지표 현황

반지하/옥탑 및 주택 외 형태 주거비율	주거형태 별			주택소유 여부	
	아파트	단독주택	연립주택/다세대 등	무주택	주택소유
0 %	**100 %**	%	%	33 %	**67 %**
1인 가구	학력		종교		
	대학 이상 학력	대학 미만 학력	불교	개신교	천주교
15 %	**62 %**	38 %	14 %	22 %	**15 %**

주택 가격 1㎡당/만원	
매매(집값)	전세값
319만 원	182만 원
노원구 평균	노원구 평균
333만 원	195만 원
서울시 평균	서울시 평균
495만 원	264만 원

상계 10동 득표 전술

주요 내용

- 다른 연령층에 비해 30~40대 여성 분포도가 많고 노원(병) 다른 동네에 비해 1인 가구 비율 높은 편(15%) 그리고 대학이상 학력분포 높고(62%), 주택 소유율도 높은 편(67%)
  아파트 비율 100%
  : 30~40대의 독립한(경제적으로 자립한) 독신 여성이 비교적 많을 수 있음

- 전반적으로 모든 연령층에서 남성보다 여성의 비율이 많은 편

- 천주교 신자 비율도 비교적 높음

예상 투표율	예상 득표수	예상 득표율	목표 투표율	목표 득표수	목표 득표율
약 47 %	약 3,681 표	약 50 %	약 50 %	약 4,230 표	약 54 %

※ 기존 표에서 550표만 더 가져오자!

정치적 지형 분석

- 투표율, 선거 결과 등에서 전반적으로 상계 9동과 유사한 정치 성향을 보이나
  : 상계 9동에 비해서 보수 지지성향이 약간 높은 편
- 정치에 대한 적극적 의사 표시

- 노원(병) 지역 중 확고한 진보당 계열 고정 지지층이 가장 많은 것으로 보임

- 보수 고정 지지 층 득표율 기준 38~40%

전술 실행 안

- 출퇴근 시간에 주요 길목에 후보 유세
  : 지하철 입구, 버스 정류장, 아파트 단지 입구(차량 이용 통근자 출입 주요 길목) 등

- 학원가, 중심가 등에 커피숍, 미용실, 네일 아트샵, 애견 샵 등에 확보한 빅마우스 활용
  : 자발적 단체 모임이 드문 지역 특성으로 삼삼오오 식 모임에 참가할 수 있는 사람들을 확보

- 조직활동으로 확보된 사람들을 정기적으로 캠프에 초대해 후보와 만나게 하고 구전활동 위한 간략한 안내(교육)

Note

제1장과 2장을 통해 도출된 조사 자료와 분석, 그리고 선거 결과 등을 선거구 내의 각 읍·면·동별로 다시 배분하여 한 번에 볼 수 있도록 정리한 것이다. 이렇게 해놓으면, 각 읍·면·동별로 그 동네의 특성과 정치 성향을 한 눈에 알아볼 수 있다.

여기서 캠프의 스텝에게 당부하고 싶은 것이 있다. 필자의 보고서에서는 각 읍·면·동별로만 정리하였지만, 캠프에서는 이보다 더 구제적인 지역 분류가 필요하다는 것이다. 각 읍·면·동마다 몇 개씩 나뉘어져 있는 투표소별로 좀 더 상세하게 분류하여 정리하는 것이 표 계산을 하는 데 훨씬 정확하기 때문이다. 필자의 보고서처럼 읍·면·동별 세분화에 그치지 말고, 읍·면·동 내의 각 투표소별로 더 세분화하여 정리한 다음 득표 전술을 세우고, 표 계산을 하도록 권장한다.

필자가 정리해 놓은 읍·면·동별 분석 다음에는 각 동의 득표 전술이라는 제목으로 해당 동네에 대한 주요 내용을 정리하였으며, 나름대로 그 동네의 정치적 지형과 그에 따른 전술 실행안까지 제시해 보았다.

마지막으로 예상 투표율과 투표율에 따른 득표수(율) 를 정리하였다. 그리고 투표율 높이기 캠페인을 통해서 목표로 삼아야 할, 목표 투표율과 목표 득표수(율) 를 상정하였고 예상 득표수에서 목표 득표수로의 상향을 위해 필요한 추가 득표수를 표기하였다.

정리

마지막으로 궁극적인 우리의 목표(목표 득표수) 를 정리해본다.

예상 종합 투표율	예상 종합 득표수	예상 종합 득표율	목표 종합 투표율	목표 종합 득표수	목표 종합 득표율
약 45.4 %	약 34,235 표	약 49.2 %	**약 48.4 %**	**약 40,030 표**	**약 53.9 %**

※ 목표 득표수 4만 표.
※ 기존 표에서 5,795 표만 더 가져오자 !

: 예상 투표율/득표율 및 목표 투표율/득표율 정리

	예상 투표율	예상 득표수	예상 득표율	목표 투표율	목표 득표수	목표 득표율
상계 1동	45.0%	6,972	46.0%	48.0%	8,570	53.0%
상계 2동	43.0%	3,457	46.0%	47.0%	4,100	49.9%
상계 3, 4동	42.0%	6,400	50.0%	44.0%	6,970	52.0%
상계 5동	43.0%	4,000	49.8%	48.0%	4,850	54.1%
상계 8동	50.0%	5,225	54.0%	52.0%	6,040	60.0%
상계 9동	50.0%	4,500	49.8%	53.0%	5,270	55.0%
상계 10동	47.0%	3,681	50.0%	50.0%	4,230	54.0%
노원(병) 합	**45.4%**	**34,235**	**49.2%**	**48.4%**	**40,030**	**53.9%**

※ 위의 내용은 어디까지나 예상된 수치이며,
선거구도 변화 및 돌발 이슈발생, 후보간 치명적 실수 유발 등의 외적인 중요한 환경변화가 발생할 경우 예상 수치와 크게 달라질 수 있음.

선거는 투표가 끝나고 개표가 완료될 때까지 끝난 것이 아니다

Note

각 읍·면·동별로 예상 투표율·득표수(율)의 합과, 목표 투표율·득표수(율)의 합을 표시하고 이를 한 번에 알아볼 수 있도록 표로 만들었다.

- 노원(병) 재·보궐선거의 최종 결과에서, 안철수 후보는 필자의 예상보다 훨씬 좋은 성과를 거두었다. 필자는 4만 표 이상 득표를 목표로 하였으나, 실제로 안철수 후보는 4만 2천 표를 득표함으로써(득표율 60.46%) 그야말로 압승을 거두었다. 필자가 보고서를 통해 예상한 범위를 넘어선 결과가 나오게 된 이유를 분석해본다.
- 안철수 후보의 각성과 효과적인 전략·전술 운영
  ---사즉생死卽生의 각오로 선거에 임하다.
- 여당에서 필승카드 사용하지 못함. 보수표 결집 실패(선거조직 활동 미흡). 여당 후보의 경쟁력 부족과 선거 전략 실패
- 3위 후보의 선거 전략 실패로 야권 후보 단일화 없이도 야권 지지 성향의 유권자들이 안철수 후보로 결집됨.

노원(병) 각 후보의 전략 전술 운영

1번 안철수 후보의 각성과 효과적인 전략 · 전술 운영

책을 통해 보았듯이 필자는 노원(병) 선거의 결과로 안철수 후보가 승리하는 것은 문제가 없고, '얼마나 많은 지지표를 받을 것인가'가 관건이라고 생각했다.

필자는 그 목표를 재·보궐선거의 투표율을 감안하여 4만 표로 보았고, 이를 위해서는 안철수 후보를 선택해줄 지지층의 적극적인 투표가 있어야만 한다고 판단했다.

안철수 후보의 지지층은 그렇지 않아도 투표율이 낮게 나타나는 계층인데, 더욱이 재·보궐선거 특성상 투표율이 더욱 낮아질 것이므로 이들을 투표소로 이끌어내어 투표율을 높이는 것 자체가 이번 선거의 최대 과제로 보았다. 다시 말해서 낮지 않은 투표율을 기록하는 것 자체가 4만 표 이상 득표를 하는 데 중요한 포인트라고 봤던 것이다.

물론 안철수 후보의 승리는 필자가 보고서 형태로 제시한 내용과 같이 서술된 각종 전략과 전술을 충실히 실행하였고 또한 그 이상의 작전과 전술적 실행이 따르는 등 그야말로 죽을 각오로 열심히 선거에 임하였기 때문에 나올 수 있는 결과다.

투표율 재고를 위한 사전투표하기 캠페인, 무소속 후보로서 조직선거에 불리한 점을 뛰어넘으려는 모습, 거의 모든 언론에서 후보의 예전 모습을 복기하며 조롱하듯 하는 논조를 보였음에도 태연하게 자신의 갈 길을 묵묵히 걸어간 후보와 캠프, 필자가 제시했던 의견이 옳기 때문에 그랬는지는 모르겠지만 해야 한다고 판단했을 때는 기어코 실행하고 고쳐나가는 모습 등은 분명히 유권자들의 마음을 움직였고 그것이 좋은 결과로 이어졌던 것이다.

필자도 이 책의 곳곳에서 표현하였듯이 좋은 아이디어나 전략, 기획이 중요한 것이 아니라, 해야 한다고 생각할 때 실행하는 것만이 최고의 전략과 선거 기획을 완성하는 것임을 누차 강조하였다.

여권의 필승 카드가 작동하지 않다

선거 전에 가장 예측하기가 힘든 것 중의 하나가 바로 투표율이다. 실제로 2010년 전국 지방선거 때부터 대부분 전문가들의 예상을 뛰어넘는 투표율을 보였고 18대 대선은 높은 투표율의 정점을 찍는 선거였다. 이는 보수층의 위기의식과 관련된 보수층의 결집이라는 내용으로 연결된다.

2010년 지방선거는 전반적으로 야권의 승리로 기록된 선거다.

투표율이 과히 높지는 않았지만, 그 전에 치러진 몇 차례의 전국 선거에 비하면 비교적 높은 투표율을 보였다. 바로 야권 지지층의 집결과 중도층의 MB정권에 대한 반감이 적극 투표로 이어지면서 야당을 지지하였기 때문이다.

이는 야권의 입장에서 볼 때 역효과를 가져온다. 이후에 치르는 모든 선거(재·보궐선거 포함)에서 보수층과 여권 지지자들의 대大결집을 초래했던 것이다.

2011년 4월 분당 재보선, 10월 서울시장 재보선, 2012년 19대 총선, 18대 대선 등은 최근 선거의 투표율을 차례로 갱신하며 높은 투표율을 보이게 된다. 특히 2011년 4월 분당과 10월 서울시장 재보선에서는 재·보궐선거임에도 49%, 48%라는 경이적인 투표율을 보였고 19대 총선과 18대 대선도 마찬가지였다.

필자는 이들 선거의 높은 투표율이 결코 야권에 유리하게 적용되지 않았다는 점을 강조하고 싶다. 다시 말해서 보수층의 위기의식에 따른 결집으로 투표율이 상승되었다는 점이다. 이런 흐름은 18대 대선에서 정점을 찍으며 새누리당의 재집권으로 이어지게 된다.

2011년 4월 분당 재보선의 경우, 당초 야당 후보인 손학규 후보가 여당의 어느 후보와 맞붙든 10% 이상의 득표율 차이를 보이며 이길 것으로 예상된 선거였다. 그러나 결과는 3~4% 차이, 투표율은 재보선임에도 49%.

이는 보수층의 위기의식과 여당 조직의 대대적인 활동에 의하여 여권표가 엄청난 결집을 했다는 얘기다. 다시 말해 일상적 수준의 투표율을 보이는 여권 표와 젊은 층의 적극적 투표 정도만 있었다면 실제 투표율은 41~44% 수준을 보였을 것이다.

그래서 손학규 후보가 여권 후보보다 두 자리 수 퍼센트 포인트(%)의 득표율 차이로 승리했어야 했다. 그러나 보수층과 여권 조직 표의 사생결단 식 결집으로 인해 투표율이 49%까지 상승하게 되었고, 이로 인하여 득표율 차이가 아슬아슬한 수준으로 좁혀졌다는 것이다.

19대 총선의 경우를 보자. 19대 총선을 앞둔 약 1년 전부터 불과 2~3개월 정도 전의 시점까지도, 당시 대부분의 평가는 민주당이 자력만으로 과반을 차지할 것이며 새누리당은 잘해 봐야 120~130석 정도가 될 것이라고 예상하였다. 그러나 결과는 반대가 되었다. 이는 새누리당의 각성과 박근혜 파워, 민주당(지도부)의 공천 잡음 등의 여러 이유가 복합되었지만 무엇보다도 야권 지지층의 결집이 이루어지지 않았고, 오히려 보수층의 결집으로 인해서 투표율이 18대 총선 때보다도 8% 가까이 상승했다는 데 이유가 있었다. 말하자면 야권 단일화 바람과 야권의 과반의석 기대 등으로 보수층의 위기의식을 초래하였고 여권의 대대적 조직운동이 병행되면서 보수·여권 지지층의 대결집이 이루어졌다고 할 수 있다. 그 바람에 총선의 최종 결과가 당초 예상과는 반대가 되어 버린 것이다.

18대 대선도 마찬가지다. 대선 투표를 앞둔 몇 주 전의 여론조사까지도 야권 단일후보가 박근혜 후보를 이기는 것으로 나올 정도로 진보층과 중도층의 결집이 예상되고 있었다. 또한 야권 후보의 실제 단일화가 있기 전까지는 문재인 후보가 단일후보가 되더라도 박근혜 후보를 근소하게 이길 것으로 보였다.

그러나 결과는 박근혜 후보의 압승이었다. 물론 단일화 과정에서 원활하지 못했던 점과 문재인 후보 측의 전략 부재 같은 이유도 있었지만, 결론은 보수층의 대 결집이 있었기 때문이다. 18대 대선에서 기록한 75.8%의 투표율은 50대가 82%, 60세 이상이 80.9%를 보인 높은 투표율이 있었기 때문이다. 투표율이 높았던 것은 그동안 투표를 하지 않던 진보층과 젊은 층의 투표에 의한 것이 아니라, 위기의식을 가진 보수층의 결집에 의한 상승이었다는 것이다.

필자는 이러한 관점에서 이번 노원(병)에서의 결과도 이런 흐름으로 이어질지도 모르겠다고 보았다. 그러나 박근혜 정부의 탄생(여당의 재집권) 으로 인해 보수층의 위기의식이 느슨해졌고, 여당인 새누리당은 4월 재보선에 크게 의미를 두지 않아 노원(병)에서 경쟁력 있는 후보를 내지 않았으며, 재·보궐선거지만 19대 총선에 비하면 턱없는 득표수와 득표율을 보인 허준영 후보의 역할이나 허준영 후보 캠프의 선거 전략 실패 등의 이유로 보수층의 결집이 되지 않았던 것이다.

이로 인하여 투표율은 상승하지 못했고 그 결과로 투표율이 필자의 예상보다 못한 43.5%로 끝났다. 필자는 보수층의 결집이 있었다면 최소한 45% 이상의 투표율이 나올 것이라고 봤던 것이다. 하지만 예상된 보수층의 투표율 상승은 없었고 오히려 안철수 후

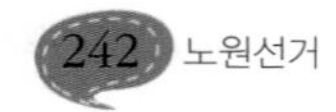

보 캠프에서 죽기 살기로 지지층의 투표율 상승을 위해 움직였다. 그래서 안철수 후보 지지층으로 보이는 진보·중도·젊은 계층의 투표율은 상승을 가져왔으나 보수층의 투표율은 기준 이하를 보임으로써 안철수 후보가 득표율 60%를 얻는 결과까지 나타난 것이다. 더군다나 득표수에 있어서는 필자의 목표 수치를 훨씬 넘어선 4만 2천표를 얻었다.

재보선이라고 하더라도 여권 조직이 최상으로 움직이고 보수층이 집결하는 필승 카드를 썼다면 허준영 후보는 최소 3만 표 이상을 얻어야 했고 최대 3만 5천표까지도 얻을 수 있다는 것이 필자의 예상이었으나 허준영 후보는 고작 2만 3천표에 그쳤다. 허준영 후보가 필자의 예상만큼 득표를 보였다면 최종 투표율은 46~48%가 되었을 것이다.

이 점에서 필자는 지난 대선에서 여당을 지지하였던 중도층이 안철수 후보의 지지로 돌아선 것이라고 보지는 않는다. 노원(병) 지역은 중도층 분포가 높지 않은 곳이고, 기본적으로 야권(단일) 후보가 압승을 하는 지역이기 때문이다. 안철수 후보가 60%의 득표율을 보인 것은 노원(병) 지역에 보수층과 여권 성향 유권자들의 투표가 평상시보다 적었으며, 반면에 야권 지지 유권자들은 적극 투표를 하였기 때문에 나온 결과인 것이다.

이러한 보수의 결집이 이루어지지 않은 이유는 몇 가지로 볼 수 있다.

최우선 목표였던 보수층의 재집권이라는 목표를 이미 달성하여 보수층의 목표의식과 위기의식이 감소된 점, 여권에서 노원(병)은 버리는 카드로 보았다는 점, 노원(병)에서 여당은 후보의 당선이 목표가 아니라 안철수 후보 흠집 내기가 목표라고 여겼던 여당(지도부)의 의식, 그리고 박근혜 정부의 집권 초기에 무리한 정치적 선거 구도를 회피하려는 의도 등이 있었다.

이러한 점은 안철수 후보와 캠프가 당선을 위해 사력을 다한 것은 사실이지만, 노원(병)에서의 승리는 안철수 후보였기 때문이 아니라 안철수 후보의 출마 선거구 지역이 노원(병) 이었기 때문이라고 볼 수 있을 것이다.

그러나 안철수 후보와 캠프는 지역적, 정치적 선거 구도에 있어서 유리한 고지를 선점하면서도 이에 만족하지 않고 선거 전략에 맞는 충실한 실행, 그러면서도 최선을 다하는 자세로 선거에 임했기 때문에 압승을 거둘 수 있었다.

3위 후보의 선거 전략 실패

야권 후보 단일화 없이도 야권 지지 성향의 유권자들이 안철수 후보로 결집되는 결과가 나타난 까닭은 무엇일까? 한 마디로 3위 후보의 선거 전략 실패 때문이다.

필자가 누차 표현하였듯이, 김지선 후보는 출마 자체에 대한 정당성이 확보되지 못한 전략을 사용하였다. 그 바람에 결국 노원(병) 지역에 존재하는 최소한의 진보당 계열 지지층에게서만 표를 얻었다.

아쉬운 점이 있다면, 김지선 후보 캠프의 자원봉사자나 캠프 관계자들만큼은 후보를 위해 정말로 최선을 다했고 선거를 할 줄 아는 열정적인 사람들이었음에도 좋은 결과를 얻지 못하였다는 점이다.

김지선 후보의 경우도 좋든, 아니든 캠프에서 설정한 전략을 충실히 이행하였고 최선을 다했지만 아쉽게도 실패하게 되었다.

김지선 후보 지지를 위해 1인 홍보활동을 하는 김지선 후보 측 자원봉사자 활동. 이는 안철수 후보의 수많은 지지자와 자원봉사자들도 감히 실행하지 못하는 열정을, 김지선 후보의 지지자들에게서는 볼 수 있었던 단적인 예다. 김지선 후보에게는, 많지는 않지만 어느 후보도 부럽지 않은 확실한 (특공대 같은) 자신의 지지자들이 있었다.

기타

선거 준비에 대해 못 다한 이런저런 이야기들

후보 단일화

싸우지 않고 이기는 전략?

전쟁에서는 싸우지 않고 이기는 것을 최고의 전략으로 친다. 범야권 정당들 간의 후보 단일화는 여당 후보와의 일전을 위해 양자 구도를 형성하고 야권 성향 지지표를 규합하면서 시너지 효과도 극대화할 수 있다.

단일화가 반드시 필요한가?

선거 구도의 환경에 따라 단일화 여부를 판단하고 진행한다. 단일화 없이도 승리가 가능할 경우, 단일화를 해도 승리가 어려울 경우, 단일화를 해야 승리가 가능한 경우의 3가지로 구분해 볼 수 있다.

- ▸ 단일화 없이도 승리가 가능한 경우라고 해서 무턱대고 단일화를 외면하지 말아야 한다. 단일화 대상 후보 간의 연대로 단일화에 참가하지 않은 다른 후보를 협공할 가능성이 있다. 최소한 1명 이상 우리 편이 되어줄 후보를 포섭하여 그들만의 연대를 막아야 한다.
- ▸ 노원(병) 재보선의 경우, 민주당 조직 표와 골수 민주당 지지층을 끌어와야 했다. 재보선의 특성상 낮은 투표율을 감안하면 몇 백 표차로 승부 날 수도 있기 때문이다. 그러므로 정당 간(또는 후보 간) 단일화는 진행하지 않더라도 기존 민주당 지역 위원장과의 협력 체제가 이루어지고 유지되도록 하기 위해 원활한 협상이 반드시 필요했다.

특히 이번 노원(병) 선거는 민주당 무공천 방침으로 민주당 후보로 출마하지 못하는 민주당 노원(병) 지역 위원장과 해당 조직, 그리고 민주당 전통 지지자들의 협조가 절대적으로 필요했다.

협상

협상의 기본은 'Give & Take'다. 협상의 결렬은 다반사인데, 이를 협상 팀의 무능으로 몰면 협상 팀은 협상력을 발휘하지 못한다.

- ▸ 협상 팀에 일정 수준의 권한을 반드시 부여해야 한다. 지난 대선 단일화 과정과 같이 권한 없는 협상팀 구성은 금물이다.

전력

전력은 충분한가?

전력全力을 다해 싸울 수 있는 요건은 뭔가? 전력戰力일까? 전력錢力일까?

선거에서의 전력戰力은 전력錢力의 뒷받침이 중요하다. 그러나 전력錢力이 전부는 아니다. 그렇더라도 제 때 필요한 만큼 뒷받침할 수 있는 최소한의 전력錢力은 구축할 필요가 있다. 타이밍의 싸움이기도 한 선거운동에 있어 자금으로 인한 정체는 치명적 결과를 가져올 수도 있다.

선거에서 전력戰力의 대부분은 사람

돈으로 사람을 살 수는 있지만, 유능한 핵심 참모까지 돈으로 사긴 힘들다. 선거에서 전력錢力 없이 움직일 수 있는 사람은 많지 않으나, 유능한 참모를 전력錢力 없이 구하고 움직일 수 있어야 유능한 지도자다.

▶ 최측근, 정치적 이해관계, 당선 후 보장 등 당장 전력錢力 없이 움직일 수 있는 사람을 최대한 확보하고, 이들에게 절대적 신뢰를 보내며, 책임을 분배하라. 전력錢力이 있다면 이들을 위해 먼저 사용하라! 결국 이 사람들이(이들의 능력이) 캠프의 전력戰力을 좌우한다.

이너서클의 멤버 구성도 중요한 전력戰力 요소

전략, 메시지, 정치 상황 판단(그리고 그에 대한 효과적인 대안) 등이 결국 전투(선거) 를 좌우한다. 이너서클에 의한 효과적이고 센스 있는 콘텐츠는 무형이지만 가장 큰 무기가 된다.

어쩔 수 없는 전력戰力 차이

소속 정당이나 전국적인 선거구도, 선거 이슈 또는 워낙 강한 상대의 전력戰力 등 불가항력의 불균형일 때는 우리 전력에 맞는 수준으로 전략과 공략을 하라. 전력이 강한 상대를 따라서 하지는 마라.

Ⓚ 우세한 전력戰力이라고 모두 승리하는 것은 아니다. 내가 우세하다고 자만하지 말고, 상대가 우세하다고 낙심하지 마라. 고려와 후삼국의 통일을 겨루던 견훤은 고려보다 2배나 우수한 병력, 전력을 갖추고도 자신이 보는 앞에서 자신의 왕국이 망하는 것을 보아야 했다.

기타

각인은 캠프에서부터!

캠프 내의 스텝부터 모든 것에 자신감을 가지도록 세뇌할 필요가 있다. 캠프 내의 스텝들에게 항상 "반드시 이긴다. 이길 수 있다."는 자신감을 심어주라.

Ⓚ 구체적인 구호로 만들어 캠프 내에서 적극 사용한다. "조금만 더 하면 뒤집힌다!", "앞서고 있는 것 같지만, 그렇지도 않다. 방심하지 말자!", "이기고 있다! 확실히 굳히자!", "방심하면 한 순간 무너진다!", 2%만 더 가져오면 끝난다!"등.

Ⓚ 다만 특정 담당(스텝이나 부서)을 부각하거나 "그 쪽이 잘하니 본 받아라!"하는 식은 절대로 삼가야 한다. 또 "뭐뭐만(누구만큼만) 잘하면(잘 되면) 좋겠는데….."하는 식의 표현도 금물이다. 항상 긍정적·희망적인 표현만 사용하라!

후보자부터 여유와 자신감을 가지자!

캠프에서 후보자만큼 강력한 지도자는 없다. 최고의 리더십을 가진 사람이다. 그런 후보자가 흔들리면 모두가 흔들린다. 특정 스텝에게 문제가 있다면 캠프의 총지휘자(상황실장) 하고만 의견을 교환하고, 조치는 상황실장이 한다. 수행팀장이나 다른 측근에게 표현하면 모두가 알게 된다.

※초조한 스텝이 있다면 후보자가 풀어주는 여유와 배포가 요구된다. 승리했을 때는 후보자가 눈물을, 패배했을 때는 스텝들이 눈물을! 승리했을 때 후보자는 공을 스텝에게 돌리는 감사의 눈물을 흘리고, 패배했을 때 후보자는 스텝의 눈물을 미소로 받아주는 여유가 필요하다.

일은 맡기고, 책임은 떠맡고!

캠프의 일은 상황실장(총지휘자)에게 일임하고 책임은 후보자가 지도록 한다. 어떠한 경우에도 믿음과 신뢰가 가장 중요하다. 승자가 즐겨 쓰는 말은 "다시 한 번 해보자!"이고, 패자가 즐겨 쓰는 말은 "해봐야 별수 없다!"이다.'

밖에서 바라본 후보와 캠프

노원(병)에 출마한 안철수 후보와 선거 캠프에 대해 밖에서 바라본 느낌을 정리한다. 대선 때에 비하면 많이 사라졌지만, 여전히 일부 사무원들은 해바라기처럼 후보를 바라보며 따라가는 모습이었다.

※안철수 캠프에 있다는 사실만으로도 완장을 차고 벼슬이라도 하는 듯이 행동하는 캠프 사람들이 있다는 것이다. '자리만 차지하고 있으면 된다.', '안철수가 성공하면 이것만으로도 공신'이라는 생각부터 버리게 해야 한다.

※또 선거와 정치에 문외한인 사람들을 잔뜩 앉혀 놓고 무엇을 하려는 것인지 묻고 싶다. 캠프는 승리에 목마른 사람들, 선거와 정치에 경험이 있고 제대로 할 줄 아는 사람들 위주로만 꾸려야 한다. "나는 조직할 줄 몰라요."라는 사람은 내보내라. 그것은 절박하지 않다는 표현이고 앉아서 떡이나 먹겠다는 것이다.

※꼭 필요한 경우가 아니라면 후보는 사무실에 오지도 말고 있지도 말아야 한다. 후보도 캠프 인원을 보려면 밖에서 만나라고 권한다. 선거 사무실은 오래 앉아 있어서 후보에게 점수를 따야 하는 회사가 아니다. 선거에서 구성원 대부분이 머리를 써야 하는 경우는, 광역단체장 선거 이상에서나 할 일이다. 총선(국회의원) 급 지역 선거에선 2~3명만 머리 쓰면 충분하다.

후보부터 조직선거를 하라

조직 선거 별 것 없다. 사람 만나 추천받고, 추천받아서 만나고, 소개받고 소개해달라고 부탁해서 또 사람 만나고…계속 만나는 일이 조직 선거다. 10장, 100장, 1000장의 의미를 아는가? 지인 찾기를 어떻게 해야 하는지 물어봐야 할 수준인가?

지금 당장, 사무실에 엉덩이 붙이고 앉아 있는 사람들을 내보내라!

승자는 농담을 잘하고, 패자는 기자회견을 잘한다

노원(병) 안철수 후보와 캠프에 전달한 보고서(선거 기획서) 자체의 에필로그

선거는 유권자의 과반수 정도만 투표장에 가는 선거에서 어떻게 승리할 것인가를 고민하는 것이다. 선거는 유권자의 마음을 움직이는 캠페인이다. 유권자의 마음을 움직이기 위해선 구체적 이미지로 표현하여야 하고 신뢰를 중시하여야 한다. 선거는 단기 고객도 마다하지 않는다. 그리고 전쟁(선거)에서 승리하기 위해 속임수도 꺼리지 않는 법이다. 이렇게 단순한 것 같으면서 단순하지 않고, 어려운 것 같으면서도 어렵지 않은 것이 선거이다.

선거를 즐겨라

야구 선수나 축구 선수들에게 야구나 축구를 잘하려면 즐기라고 주문하는 경우를 흔히 볼 수 있다. 선거도 마찬가지다. 결론은 선거를 즐겨야 한다는 것이다. 선거는 전쟁이다. 남을 죽이거나 내가 죽는 살생의 전쟁이 아니라, 1등을 겨루는 전쟁이다. 그러나 당선(1등) 되지 못한다고 죽는 것도 아니고 죽을 필요도 없다. 다음 기회를 준비하면 된다. 우리가 준비한 만큼, 우리가 할 수 있는 만큼 즐기고 이길 수 있도록 노력하는 것이 선거다.

모든 일엔 전략이 있고 그것을 실행하는 프로세스(기획) 가 필요하다. 모든 계획은 처음부터 끝까지 치밀하게 짜야 한다. 그래도 계획대로만 되지 않는 것이 실행이다. 그런 만큼 예상하지 못한 것까지도 준비하고 진행하는 것이 기획이고 전략이다. 또 기획과 전략보다 더 중요한 것이 실행이다.

"우리 군단에는 105명의 장군과 단 한 명의 전략 기획자가 있었다. 그리고 전략에 의해 승리했다."

2차 세계대전 당시 미 육군 제3군단의 조지 스미스 패튼 장군이 한 말이다. 전략이란 수립 과정에 관여하는 사람이 많으면 많을수록 좋은 전략이 나오기가 훨씬 어려운 법이다.

누차 말하지만 전략은 그리 중요하지 않다. 어떠한 전략이든 중요한 것은 바로 실행! 실행이 얼마나 전략을 뒷받침해 주느냐가 중요하다. 그런 견지에서 이 책이 전략적 통일성이나 캠프 내의 기존 전략을 흐트러뜨릴 우려가 있다면 과감하게 폐기해 버리기 바란다.

"정치는 소통, 선거는 포지셔닝!"

이미 앞에서 표현했던 말이다. 이 말은 세계적인 마케팅 컨설턴트이자 수많은 마케팅·브랜딩 관련 서적을 출간한 알 리스가 『경영자 VS 마케터』라는 책에서 표현했던 "경영은 커뮤니케이션, 마케팅은 포지셔닝"이라는 말을 인용해 필자가 각색해본 말이다. 알리스는 같은 책에서 의미 있는 얘기를 기록하였다.

"정치인은 선거를 앞두고 유권자들이 관심을 기울이는 문제마다 빠짐없이 자기의 견해나 소신을 밝히면 유권자를 불쾌하게 만들어 표를 얻지 못할지 모른다. 힐러리 클린턴의 문제점이 바로 유권자들이 힐러리 클린턴에 대해 너무 많은 것을 알고 있었다는 사실이다. 반면에 사람들은 오바마에 대해서는 아무 것도 몰랐다. 유권자들이 어떤 정치인에 대해 아는 것이 없는데 그래도 자기 할 일은 제대로 하는 사람처럼 보이면 유권자들은 그에 대해 좋게 생각한다. 게다가 오바마는 현명하게도 선거 유세기간 내내 '변화**Change**'라는 한 마디만 줄기차게 외쳐댔다. 다른 후보들이 너무나 많은 계획이나 정책을 쏟아놓을 때 오바마는 자신을 변화의 매개로 포지셔닝했다. 오바마가 주장하는 변화는 오랜 세월 워싱턴의 기득권자로 여겨지던 그의 경쟁자 힐러리와 공화당의 후보에게 타격을 입혔다."

이처럼 마케팅, 좀 더 구체적으로 포지셔닝은 정치에서는 몰라도 선거에서는 매우 중요하다. 전국적(전반적) 인 정치 구도에서 유리한 위치를 차지하는 정당에 소속되어 있는 것도 매우 중요한 포지셔닝의 하나다. 이와 같이 선거를 마케팅적 시각에서 관찰하고 운영하여 승리를 이끌어내야 한다는 주장을 한 번 더 하면서 본 작업을 끝마친다.

유권자들의 마음을 얻어 가슴에 품은 뜻을 펼치려는 후보자들과 선거를 위해 헌신하는 캠프의 건승을 기원한다.

보고서로 제출했던 에필로그 슬라이드 자료의 이미지를 덧붙인다.

Epilogue - 2

"정치는 소통, 선거는 포지셔닝"

이미 앞에서 표현하였던 말입니다. 이 말은 세계적인 마케팅 컨설턴트이자 수많은 마케팅/브랜딩 관련 서적을 출간한 알 리스가 '경영자 VS 마케터'라는 책에서 "경영은 커뮤니케이션, 마케팅은 포지셔닝" 이라는 말을 인용하여 제가 각색해본 말입니다.

알리스는 같은 책에서 의미있는 얘기를 기록하였습니다.
그 내용입니다.
"정치인은 선거를 앞두고 유권자들이 관심을 기울이는 문제마다 빠짐없이 자기의 견해나 소신을 밝히면 유권자를 불쾌하게 만들어 표를 얻지 못할지 모른다. 힐러리 클린턴의 문제점이 바로 유권자들이 힐러리 클린턴에 대해 너무 많은 것을 알고 있었다는 사실이다. 반면, 사람들은 오바마에 대해서는 아무것도 몰랐다. 유권자들이 어떤 정치인에 대해 아는 것이 없는데 그래도 자기 할 일은 제대로 하는 사람처럼 보이면 유권자들은 그에 대해 좋게 생각한다. 게다가 오바마는 현명하게도 선거 유세기간 내내 '변화'(Change)라는 한마디만 줄기차게 외쳐댔다. 타 후보들이 너무나 많은 계획이나 정책을 쏟아놓을 때 오바마는 자신을 변화의 매개로 포지셔닝했다. 오바마가 주장하는 변화는 오랜 세월 워싱턴의 기득권자로 여겨지던 그의 경쟁자 힐러리와 공화당의 후보에게 타격을 입혔다."
이처럼 마케팅, 좀더 구체적으로 포지셔닝은 정치에서는 몰라도 선거에서는 매우 중요한 내용이라는 것 입니다. 전국적(전반적)인 정치 구도에서 유리한 구도에 있는 정당에 소속되어 있는 것도 매우 중요한 포지셔닝 행위 중 하나이기도 합니다. 이처럼 선거를 마케팅적 시각에서 관찰하고 운영하여 승리를 이끌어내고자 하는 주장을 한 번더 하면서 본 작업을 끝마칩니다.
건승을 기원합니다.

147

Epilogue - 1

"승자는 농담을 잘하고, 패자는 기자회견을 잘 한다"

선거는 유권자의 과반수 정도만 투표장에 가는 선거에서 어떻게 하고, 승리할 것인가에 대한 고민을 하는 것이고 유권자의 마음을 움직이는 캠페인이다. 그러기 위해선 선거는 구체적 이미지로 표현을 하여야 하고 신뢰를 중시하여야 한다. 선거는 단기 고객도 마다하지 않는다. 그리고 전쟁(선거)에서 승리를 위해 속임수도 꺼리지 않는 법이다. 이렇게 단순한 듯 하면서 단순하지 않고 어려울 듯 하면서 어렵지 않은 것이 선거이다.

결론은, **선거를 즐겨야 한다**.
선거는 전쟁이다. 남을 죽이거나 내가 죽는 살생의 전쟁이 아니라, 1등을 겨루는 전쟁이다.
당선(1등)되지 못한다고 죽는 것도 아니고 죽을 필요도 없다. 다음 기회를 준비하면 된다. 우리가 준비한 만큼, 우리가 할 수 있는 만큼 즐기고 이길 수 있도록 노력하는 것이 선거다.

모든 일엔 전략이 있고 그 것을 실행하는 프로세스(기획)가 필요하다. 모든 계획은 처음부터 끝까지 치밀하게 짜야 한다. 그래도 계획대로만 되지 않는 것이 실행이다. 그러니 만큼 예상되지 못한 것까지도 준비하고 진행하는 것이 기획이고 또 전략 보다 중요한 것이 실행이다.
"우리군단에는 105명의 장군과 단 한 명의 전략기획자가 있었다. 그리고 전략에 의해 승리했다" 2차 세계대전 당시 미육군 제3군단에 조지 스미스 패튼 장군이 한 말이다. 전략이란 수립 과정에 관여하는 인원이 많으면 많을수록 멋진 전략에 도달하기가 훨씬 어려운 법이다.

누차 말하지만 전략은 그리 중요하지 않다.
어떠한 전략이든 간에 중요한 것은 바로 실행! 실행이 중요하다.
그런 견지에서 본 문서가 전략적 통일성이나 캠프 내 기존 전략을 흩으러 버릴 우려가 있다면 과감하게 폐기해 버리기를 바란다.

146

별첨자료

노원(병) 캠프에 전달한 실제 선거기획서(본문) 샘플 이미지

선거 기획서 본문 중에서

○ 가구 별 주택소유 형태

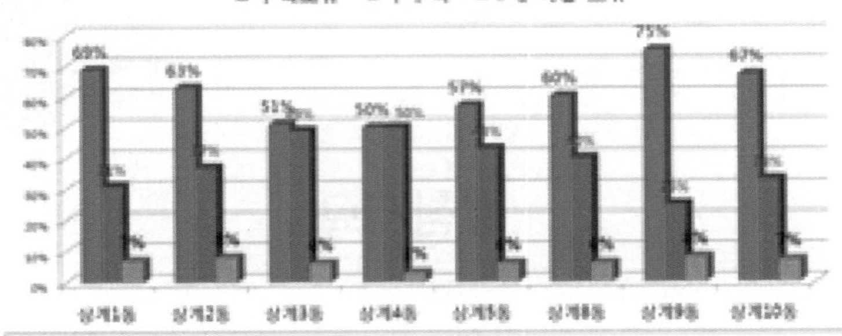

특이사항

- 노원(병) 지역은 서울에서도 주택 보유 비율이 매우 높음
  : 비교적 저렴한 주택가격 및 소형주택이 많은 영향으로 보임
- 그러나 상계 3, 4동은 다른 노원(병) 지역에 비해 주택 보유 비율이 높지 않은 편
- 노원(병) 지역에서 주택을 보유하였지만 중산층 이상의 계층이 많지는 않음(주택 크기가 대부분 소형)

○ 학력/종교 분포(노원(병) 지역만)

-종교인구 분포(노원(병) 전체인구 기준)

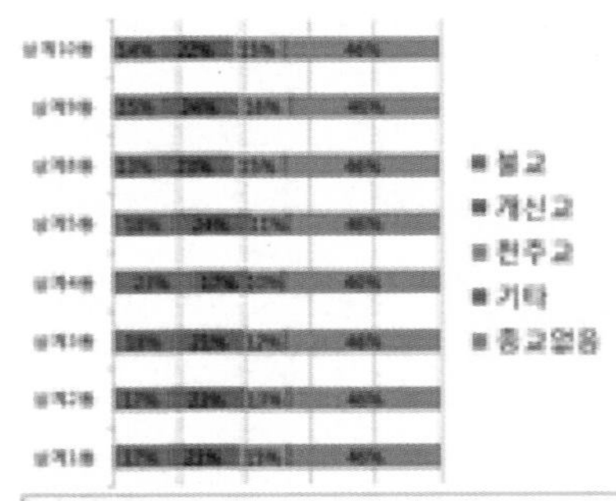

- 노원(병) 만19세 이상 인구 중 대학 이상 학력 분포

특이사항

- 노원(병) 지역 주민은 종교를 갖고 있는 경우가 서울 평균과 비슷하며, 산(山)과 가까운 지역조건으로 인하여 비교적 불교신자가 많은 편
- 대학이상 학력을 갖춘 사람의 분포가 서울 평균보다 낮은 편. 학력 수준에 따른 소득수준 평균도 낮음
  : 서민 및 서민층 이하의 인구 분포도가 높은 전형적인 지역

○ 19대 총선(비례)

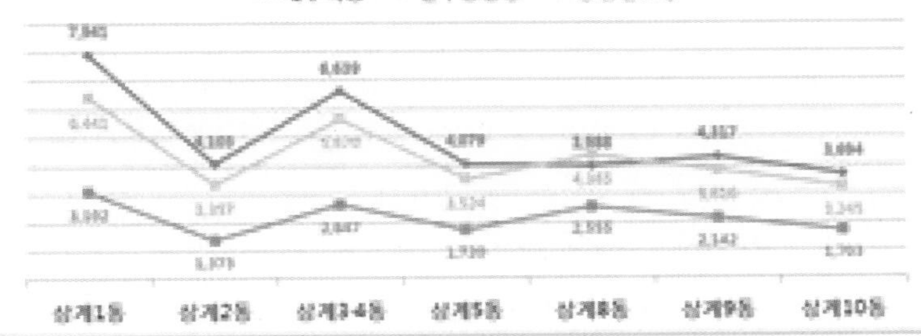

특이사항

- 지역구 투표와 달리 정당 투표이므로 야권 단일화가 되지 않은 상태에서의 경쟁으로 상계8동을 제외하고 새누리당 승리
  : 그러나 민주당과 통진당의 표를 합산할 경우 모든 동에서 새누리당 득표수보다 많음
  : 노원(병)은 야권 단일화를 할 경우, 그 효과가 확실하게 나타나는 곳

- 상계8동은 3자구도로 야권단일화가 되지 않았음에도 민주당이 가장 많은 득표수를 차지
  : 상계8동은 야권 단일화만 된다면 기본적으로 +3천 표를 확보하고 가는 지역

○ 선거 별 후보 결정 시기 조사

	19대 총선	18대 총선	17대 총선
투표 당일	6.5 %	10.2 %	10.7 %
투표일 1~3일 전	13.6 %	15.5 %	16.6 %
투표일 1주일 전	**19.2 %**	**21.5 %**	**20.4 %**
투표일 2주일 전	11.9 %	11.8 %	15.1 %
투표일 3주일 전	9.1 %	8.9 %	14.1 %
투표일 3주 이상	**39.7 %**	**32.2 %**	**23.1 %**

- 기타 내용
  : 투표일 3주 이상 전에 지지후보를 결정한 유권자는 연령이 높을 수록 많음
  (특히 200만원 이하 소득 층, 자영업자, 중졸 이하 층에서 상대적으로 높음)

분석
- 유권자 약 30%는 이미 본격 선거전 돌입과 함께 후보를 정함
- **수치 상 여론조사발표 마감시한인 투표 1주 전까지도 50%가 넘는 유권자가 부동층**
  그러나 19대 총선에서는 40% 수준으로 낮아짐(반면 3주 이상 전에 확정한 경우가 높아짐)
- 전체 유권자 40~45%가 투표 전날 부터 1주일 전 사이에 후보 결정
  : **'부동층 유권자의 표심은 마지막 주말에 결정된다'**
  '마지막 2번의 주말 선거유세에 총력을 다하라'

제 4 장. 전술 & 운영

제 4 장은, 1~2장을 통해 도출된 데이터와 분석 내용을 활용하여 3장에 제시된 전략 안에 맞춰 효과적인 전술 방안을 계획하고, 선거에 필요한 각종 진행 사항을 구체적으로 점검/제시하여 실행할 수 있도록 함
(선거의 진행은 재치와 기발함으로 해서는 아니되며, 일관성과 믿음으로 해야 한다)

'형식은 기능을 따라간다. 마찬가지로 전략은 전술을 따라가야 한다'

'기업의 90%가 완벽한 전략을 갖고서도 '실행'하는데 실패한다'

'승리했었던, 패했었던 간에 지난 선거는 잊어라 !'

○ 각 조직 별 임무 및 조직 구성 요건 - 3

> 상황실(종합상황실)
: *<u>사실상 선거 총괄 지휘 본부</u>*
: 선거 과정에서 돌발 변수 위기관리/공정선거감시단 조직 운영/투개표 관리/위기 상황 징후 사전 파악 및 대처 등 진행. 캠프 내 독립 공간 확보하여 관계자 외 출입 통제 필요
: 상황실은 홍보팀, 이너써클 등과 같은 공간 활용 가능
: 상황실장은 실제적으로 캠프를 총괄 지휘. 그만한 권한과 책임을 부여

> 커뮤니케이션 담당(홍보팀)
: **홍보팀장** - 언론과 광고 등 전체적 흐름 감독/조정(선거 유 경험자가 유리)(상황실장이 겸임 가능)
: 홍보팀장은 필요에 따라 비공식적 홍보(네거티브 등) 등의 전술실행도 가능한 능숙함 필요
(IMC 운영의 일관성을 위해 타 업무와 겸임도 가능하나 홍보나 IMC의 전술적 이해 필요)
: 각종 홍보물, 인쇄물(후보 책자, 정책집 등) 등 집행/관리(홍보물 담당 따로 두어도 무관)
: 주요 이벤트 행사 기획/연출(후보자 일정 중에 필요한 특별한 행사도 진행)
: **온라인 담당** - 후보 홈페이지, 블로그 등 관리. 팬 카페 등과 소통. 웹 상 후보 관련 내용 모니터
: **공보담당, 대변인** - 언론 관련 활동 담당. 기사작성/배포. 기자와 관계 유지. 보도기사 관리/대책 등
: 공보담당과 대변인은 겸임 가능하나 비쥬얼/언변능력 등 필요(능력 되면 사무장 겸임)
: 대변인은 공식적이므로 항상 정장 유지. 언론계통에 정통하면 좋음(비쥬얼 갖춘 여성도 좋음)
: 대변인은 많은 시간을 후보와 동행. 특정 상황에서 후보를 대변하는 자리. 토론형식 협상 등 역할
: 커뮤니케이션 담당(홍보팀)은 상황실장과 직접적인 수직관계로 실시간 소통 가능하여야 하며 이너써클과 충분한 공감 교류 필요

총선급 캠프에서는 '기획/홍보/공보물제작/기사 제작 및 배포/온라인 진행' 등은 선거 유경험자 1~2명 정도 포함된 3~4명이면 충분히 운영이 가능(그 이상의 내근 인원은 낭비)

'삼류는 자신의 능력을 발휘하고, 이류는 남의 힘을 사용하며, 일류는 남의 능력을 활용한다.'